JN061334

スピットボーイのルール

人種・階級・女性のパンク

The Spitboy Rule:
Tales of a Xicana in a Female Punk Band

ミシェル・クルーズ・ゴンザレス 著
鈴木智士 訳

Gray Window Press

The Spitboy Rule: Tales of a Xicana in a Female Punk Band

Originally published in English by PM Press.
Japanese edition licensed by PM Press.

スピットボーイのルール　人種・階級・女性のパンク

◉凡例

アルバムなど、レコード、ＣＤの作品名：『　』

曲名など：「　」

ライブ会場など、施設名：〈　〉

訳注：〔　〕

登場するバンド名は、日本盤が出ているような有名なバンドを除き、検索等がしやすいように、できる限り英字表記とした。

スー・アン・カーニーとニコル・ロペスへ、
黒焦げになるまで町を燃やすぞ！
そして私の唯一の人、ルイス・マニュエルへ。

もしかしたら人間は愛されることよりも
理解される方を強く求めたのかもしれない。

ジョージ・オーウェル

まえがき　その1

ミミ・ティ・グエン

Spitboy の結成は1990年。私がパンクおよびすべてをぶっ壊すその可能性と出会った年だ。サンディエゴ郊外に住むダサい10代だった私は、傲慢(ごうまん)な軍事力の圧倒的な遍在（1991年に湾岸戦争が起きたときは特に最悪だった）、芝刈りの不法労働、複製された家々が並ぶ開発地、そして国家保護のための容赦のないウソ（私の家から1マイルも離れていない、呪われたマーシー・ロードで起きたハイウェイ・パトロールの警官による若い女性の殺人）によって、怒りと疎外感を抱いていた。戦争や評決に抗議するために——それぞれペルシア湾、ロドニー・キングのこと——銀行の窓にレンガを投げたり、滾(たぎ)り爆発するノイズとムーヴメントに参加する革ジャンを着たパンクスが、私の青春時代の理想のピンナップだったのも無理はない。もちろん、バークレーに引っ越した。

黒い服、刈り込んだ髪で（パンクの制服のことだ。もちろん私もそれに倣(なら)った）バークレーに着いてすぐ、Spitboy を見た方がいいと言われた。メンバー全員が女性のアナキスト・フェミニスト・バンドは、パンクの首都ベイエリアですらまだ希少だった。彼女たちのショウを見てから20年経った今思い出すのは、おぼろげに揺らめく自由なエナジーの情景だ。ヴォーカルのエイドリアンの温かいけど不屈の存在感。ステージで叫ぶ彼女の編み込んだ黒い髪にくくりつけられた飾りが、怒りを背負ったトッドの力強いドラムのリズムに遅れて跳ねる。『スピットボーイのルール』はある特定の時間や場所を呼び起こす。だから自分の視点と合わせて読まずにはいられない。私にとってなじみのある歴史と共振する個の物語の中で、ミシェルは激動の変化を見せたパンクのある瞬間――〝アウトサイダー〟の地位を得ようとするメインストリームの欲求、ライオット・ガールが与えた、居場所としての地下のステージに対しての、また全国的に議論を呼んだムーヴメントに対しての、二重のインパクト――に現出した意識を描き出す（Spitboyも出演を依頼された1993年の〈フォート・メイソン・センター〉でのFugaziのショウや、後年の変化の前兆のことも覚えている。当時私がボランティアをしていたアナーコ・レコード屋コレクティヴの〈Epicenter Zone〉でそのFugaziのショウのチケットを取り扱っており、Green Dayのラジオを聞いた元気ハツラツな若者たちに、「クレジットカードは使えない」と、強く――ある人は少し優しく――断らなければならなかったのだ）。ミシェルはこの本の中で、理想主義と冷笑主義の両方をうまくさばきながら、パンクシーンにおける有色の女性としての自らの経験についても描写する。

「バンドはアイデンティティではない」

『スピットボーイのルール』はミシェルの回想記だが、同時に私たちの歴史でもある。1990年代初頭のほんの一瞬、ひとりひとりではもうめちゃくちゃな状態で、孤独を感じていたとしても、私たちは全員がパンクスで、濃密で美しく最高な何かを共有していて、選ばれた結社に属しているんだということを私は信じていた。でももちろんすぐにそうではないということがわかった。「すべてのパンクスが同じわけではない」という認識は、時に驚きとして、時にパンクの信念と社会規範のひどくありふれた接点として、この本でも語られる。

当時の〝トッド〟の声と現在の〝ミシェル〟の声の間を行ったり来たりしながら、『スピットボーイのルール』は彼女とパンクの物語を伝える。カリフォルニアの僻地（へきち）にあるうらぶれた小さな町で公的扶助によって育つことについて、ジェンダー、また人種や富、生まれ育った場所や教養（たとえばクラッシュがその4枚目のアルバムに名前を拝借したニカラグアの反乱軍について、的確な情報を挙げることができるかという文化資本）といった、そこに存在する社会的ヒエラルキーに基づいた〝パンク・ポイント〟のあいまいな採点について、そしてどこで育ったかよりも、何をしているかが重要だというように、ミシェル・クルーズ・ゴンザレスが

〝トッド・スピットボーイ〟になったときのような、〝パンク名〟の政治性について。ただし同時に、移民と周縁化の複雑に絡まりあった歴史を消しながら。

この物語を読みながら、同じシーンにいた有色の若い女性として私自身も闘ったものを思い浮かべた。レイシスト的言動を調子に乗って冗談半分でしてしまう連中が、白人至上主義の古びた言説を肯定する薄っぺらいカモフラージュを供する場であるような、またレイシズムとは（議論されるときですらも）自分自身の内にあるものではなく、国家やネオナチが行うものとされるような、そして反レイシズムとはカラーブラインド〔肌の色、人種の差異を意識しない態度〕であることを意味するような、この同じシーンでの話だ。また当時のシーンにおいて、〝褐色であること（ブラウンネス）〟には関心を持たれることなく、「安全な」褐色の人間だと思われること（ミシェルは本書でこれをすがすがしいほど率直に描写している）、また「単なる」普通の白人パンクスとして通る（パスする）ことを拒否して、「安全ではない」と決めつけられることが何を意味したのかも思い起こされる。そしてミシェルがチカーナでありパンクであること――髪を刈り込み、黒いアイライナーで力強く羽を描き、そしてリンダ・ロンシュタットもSubhumansも同じターンテーブルで聴くこと――を、ときどきつまずきながらも、常に強靭に両立したように、どうすれば一度に〝すべての自分自身〟になれるのかを私も試みたのだった。

「私たちはライオット・ガールのバンドじゃない」

その後歴史はライオット・ガールを中心に捉えたことで、それ以前の、また同時代のパンク・フェミニズムを、ほとんど完全に覆い隠してしまった。Spitboy もまた、(同時代のライオット・ガールではないバンドの中でも)筋金入りのフェミニストの闘士として活動してきたのにもかかわらずだ。ミシェルはこう語る。「それは私が今、カリン、ポーラ、エイドリアンと始めたバンド(中略)、女性の身体を中心としてできた創造の神話——家父長制とも、男性である神が、ひとりの男性の身体から女性たちを造った、すなわち原初には男性が存在したと述べるユダヤ=キリスト教の信仰とも、まったく無関係の物語にちなんで名付けられたバンドだった。」それにより、ライオット・ガール以外のパンク・フェミニズムが共に存在することだけではなく、そのはざまに起きたであろう、かけがえのない緊張関係もまた失われてしまった。(いまだ)男性が支配的なシーンにおいて、果敢にも謝らない姿勢を選ぶ女性たちとして、Spitboy は女嫌い(ミソジニスト)の敵愾心と表現の責任の両方を引き受けた。Spitwomen のやり方は、このひとつのバンドの日常の出来事——ジャケットの制作、スタジオでのレコーディング、レーベルを選ぶこと、おんぼろのバンでツアーすること——を通して次第に明らかになる。一時的にではあったが、音楽に関わる女性の意識が注目を浴びた歴史的な瞬間において、このジャンルやサウンド（〝パンク・フェミニスト〟と聞いてどんなサウンドを想像する？）における強烈な性差を孕んだ問題に対し、ミシェルは誠実さをもって相対し、パンク女性であるということは何を意味するのか（「黙って股を開くか曲をやれ」と言われながら）、またフェミニスト・バンドでドラムを叩くことがいかなることなのか（自称「パンクロック・ドラマーの女性版フィル・コリンズ」）を記録する。

ドラマーのミシェルは、いつも「女の子なのにパワフルなドラムを叩くね」と言われ続けた一方で、他のフェミニスト・パンクスからSpitwomenに非難が向けられたという認知的不協和をも顧みる。ミシェルによって語られる驚くべき話のひとつに、Spitboyが7インチ・レコードのタイトルに〝Mi Cuerpo Es Mío〟とスペイン語を使用したことに対して、オリンピアのある（白人の）ライオット・ガールが「文化盗用」だと非難をふっかけてきたエピソードがある。「どうやら」と、ミシェルは冴えた頭で言う。「私の身体は目に見えなかったらしい。」現在語られる歴史の一部が、ライオット・ガールの人種、階級の構成に対し、「恥ずかしいけど認めざるを得ない」、もしくは「もう二度とこんなことはあってはならない」のどちらかの立場で表面的に表される一方で、こういったライオット・ガールの意外な事実はほとんど記録されることがなかった。ミシェルはこの非難——何気ない痛み——が、サブカルチャーの文脈においてチカーナだと「カミングアウト」する実体験や、褐色でありパンクであることの苦悩を紐解いたことを、とてもうまく記している。『スピットボーイのルール』は、私たちになくてはならない（そして必ずしも完全ではない）有色パンクの歴史にとって、パンク文化における人種とジェンダーの運動史の取り組みとして、また過去がいかにして現在と共振するかを論証する系譜学として、非常に重要な本であることは、おそらく自明である。

ただし、この本は私たちの歴史であると同時に、もちろんミシェルの回想記でもある。この他にも、褐色パンクの生活、ひょろっとしたボーイフレンドたちや歌詞シートをばら撒くこと、厄介な親交と思い込み（ハグしたがるファンの男の話、ウエッ）、そしてCitizen Fishと一緒に紅茶とクランペットを楽しみ、法を破って国境を越え、世界で二番目にメキシコ人が多い街にいる祖母を突然訪問するといった話も、多種多様に描かれる。『スピットボーイのルール』で語られる時代において、私はミシェル（私より少しだけ年上だが、パンクの経験においてはまったく別の世代だ）のことを、もっとずっと世才に長けた人だと考えていた。本人に直接伝えたことはないが、ミシェルの鋭くて魅力的な存在感は、当時の私にとってのインスピレーションのひとつだった。屈強で、パンクの基底となる有色の女性たち。そのパンクの神殿に引き続き新しい人々を迎え入れていく過程において、ミシェルは私たち全員の象徴なのだ。

ミミ・ティ・グエン　Mimi Thi Nguyen

イリノイ大学アーバナ・シャンペーン校でジェンダー、女性学とアジア系アメリカ学の准教授を務める。著書に"The Gift of Freedom: War, Debt, and Other Refugee Passages" (Duke University Press, 2012)。また、Signs, Camera Obscura, Women & Performance, positions, Radical History Review といった媒体に寄稿。１９９１年から Slander, Race Riot といったジンを作っている。Punk Planet のコラムニストであり、Maximum Rocknroll にも関わる。２０１２年、２０１３年には他の有色のジン創作者たちとツアーを行い、また現在も有色のパンクスとともにイベントやショウを行っている。（２０１６年現在）

まえがき　その2

マーティン・ソロンデガイ

アンダーグラウンドの音楽、特にパンクシーンにおいては、1990年代に入り、それまでに存在した音楽、アート、理念がさらに推し進められ、多種多様なスタイルや音が出現した。お金もなく決していい環境というわけじゃなかったが、町のすてきなレコード屋や、ツアーでやって来るバンドのディストロの箱で、テープやレコードが偶然安く手に入ることもあった。新しくバンドを知る方法の中でも大きな影響力を持ったのは、それぞれの好きなバンドのロゴで着飾ったパンクスを見ることだった。ジャケットやパッチ、Tシャツなどで目にしたバンドのロゴの中には、パンクに夢中になっている僕たちの心に強い印象を与え、他のみんなはすでに「よく」知っているそのバンドへの興味につながるものがあった。Spitboyの名前もそこら中で目にするようになり、そのロゴと名前は、アメリカ中のパンクスの心の中に浸透しだした。

Spitboyや他のパンク女性たちのことを考えると、僕の人生にはいつも、人の心を動かす力を持った女性たちがいたことを改めて実感する。僕の考えの基礎となったものは、すべて僕の母によって与えられたものに根付いている。僕はシカゴで育ったが、そこにはいつも、心から尊敬してやまない不屈の女性たちがいた――誰にも服従しない少女たちだ。僕はパンクになり、〈メトロ〉に入り浸ってショウを見たり、土曜日には〈Wax Trax Records〉で買い物をしたりしたが、パンク女性たちは大勢いるパンクスの中でもとても目立っていた。ある雨の夜、レザーブーツとレザージャケットに身を包んだふたりのパンク女性がいた。ひとりは完全に頭を剃っていて、もうひとりは黒色のモヒカンで、髪の染料が頭の片側からしたたり落ちていた。ふたりはとても大きく見えた。当時僕は17歳、まだ若くて内気なガキだったから、余計に彼女たちが大きく見えたのかもしれない。メチャクチャかっこよくて、あんな女の子たちと一緒に遊びたいなあと思ったことを今でも覚えている。

　1990年代の初めから中頃、僕のバンドLos Crudosはアメリカ中をツアーした。もちろんベイエリアでもショウを組んだ。ベイエリアは、アメリカ各地の小さな町や、アメリカの心の小ささから逃げてきたようなパンクスにとっての、巨大な拠り所だった。そのツアーで鮮明に覚えているのは、すごくたくさんのパンクスが家の庭に集まっている中で行ったショウだ。そのショウで、ようやく僕は、みんなが「トッド」と呼んでいた女性、すなわちSpitboyのドラマーに会うことができた。そのアートワークはもう僕の脳みそに永久に刻まれていたバンド、それがSpitboyだ。彼女はCrudosを、「マキシ・パッド」と呼ばれていた彼女の家に招待してくれた。「パッド」は数人のパンク女性が住んでいる家で、何百ものツアーバンドがここに泊まった。僕たちはそこでトッド、本名ミシェル・ゴンザレスと一緒に過ごし、音楽だけではなく、いろんなことについてたくさんの話をした。僕たちは彼女のことが、彼女のあり方が、彼女のものの見方が好きだった。トゥオルミでチカーナ（メキシコ系アメリカ人女性）として育ったトッドの人生は僕たちと共鳴し、Crudosは彼女のことが大好きになった。都会のハードコア・キッズだった僕たちは、国中のあちこちでラティーノやチカーノとして育った人たちのさまざまな生い立ちに出くわし、そこで耳にする話に魅了された。トッドは本当にメチャクチャかっこよくて、彼女のcuentos（物語）とfurias（怒り）は僕たちの身にも覚えがあることだった。トッドもまた、僕たちみんながなんとか生き延びてきたmierda（クソ）を経験していた、僕たちとは別の場所で。

こういったツアーでたくさんの褐色（ブラウン）のパンクスとつながり、自身の葛藤やサバイバル、順応・同化させられる重圧について、また「基本」を教えられるだけでなく、フィルターがかかり、不正確で、一方のみから語られる歴史を生み出すご立派な制度の価値判断に屈することについて、彼らからたくさんの話を聞いた。僕たちはこれらの制度からの生き残りであり、ラッキーにも自分たちの価値をもう疑わなくてもいい別の道へと進むことができた。僕たちが選んだその道は、かつて僕たちが経験した恥や拒絶を終わらせるものだった。

トッドはchingona（ヤバい女性）だ！　トッドは近所を散歩するときでもすべてを記憶し、のんきに歩くことなんかなかった。彼女は人生のインクで「脳みそミシェル」に熱っぽくメモを刻み込む。良いことも悪いことも、彼女の心に残ったものは、その心のページに書き込まれ、また別の機会に呼び起こされる。トッドの書いた歌詞は、吸い寄せられるような彼女の激しいドラムの音とともに、バンドの前に立ち尽くす人たちすべてに向かって叫ばれた。

　ショウに来ていたほとんどのパンクキッズは、またありふれたライブを見るのかと思っていたが、そうじゃなかった。Spitboyは単なるそこらのバンドじゃなかった。Spitboyを見たあとには、Spitboyはバンド以上の何かだったとみんなが理解する。Spitboyのレコードには『Mi Cuerpo Es Mío』というタイトルのものがあったが、彼女たちの身体はキミのものだなんて1秒たりとも思っちゃいけない！　Spitboyがそうではないと教えてくれたじゃないか。曲の途中で演奏を止めて、調子に乗った酔っぱらいのバカをステージに上げ、そいつになぜSpitboyが癪（しゃく）にさわったのかを説明させる——この女性たちは賢かった。Spitboyはこういった若者たちにマイクを渡し、世代的な、つまらない、男vs女のたわごとをしゃべらせ、醜態（しゅうたい）を演じさせた。その若い酔っぱらいたちはほとんど何もできなかった。男性に受け継がれたお粗末な役割、どういうわけかこのムーヴメントにやってきてしまったアホの子供たち。そういった多くの男たちは、この4人の女性たちが単に楽器を演奏すること以上のものをステージで表現したということを、結局理解できなかった。メンバーそれぞれが、自分の歴史、葛藤、痛みを持ち、一緒になって「答え」を探すことで、4人はひとつのバンドになった。だからほら、自分のことを話してみてよ。Spitboyからキミにマイクは渡された。さあ、何を言う?

マーティン・ソロンデガイ　Martín Sorrondeguy

ウルグアイのモンテビデオ生まれ、シカゴのピルセン地区育ち。この10年はサンフランシスコを拠点にしている。マーティンの活動の核は、肉体的、またアーティスティックな創造を通して、社会の不正義に対して取り組むこと。最初はスペイン語で歌う世界的に有名な政治的バンド、Los Crudosのヴォーカルとして、そしてこの15年間はクィアコアのバンドLimp Wristのヴォーカルとして活動している。2015年に3冊目となる写真集、"En busca de algo más"(Ugly Records)を出版した。(2016年現在)

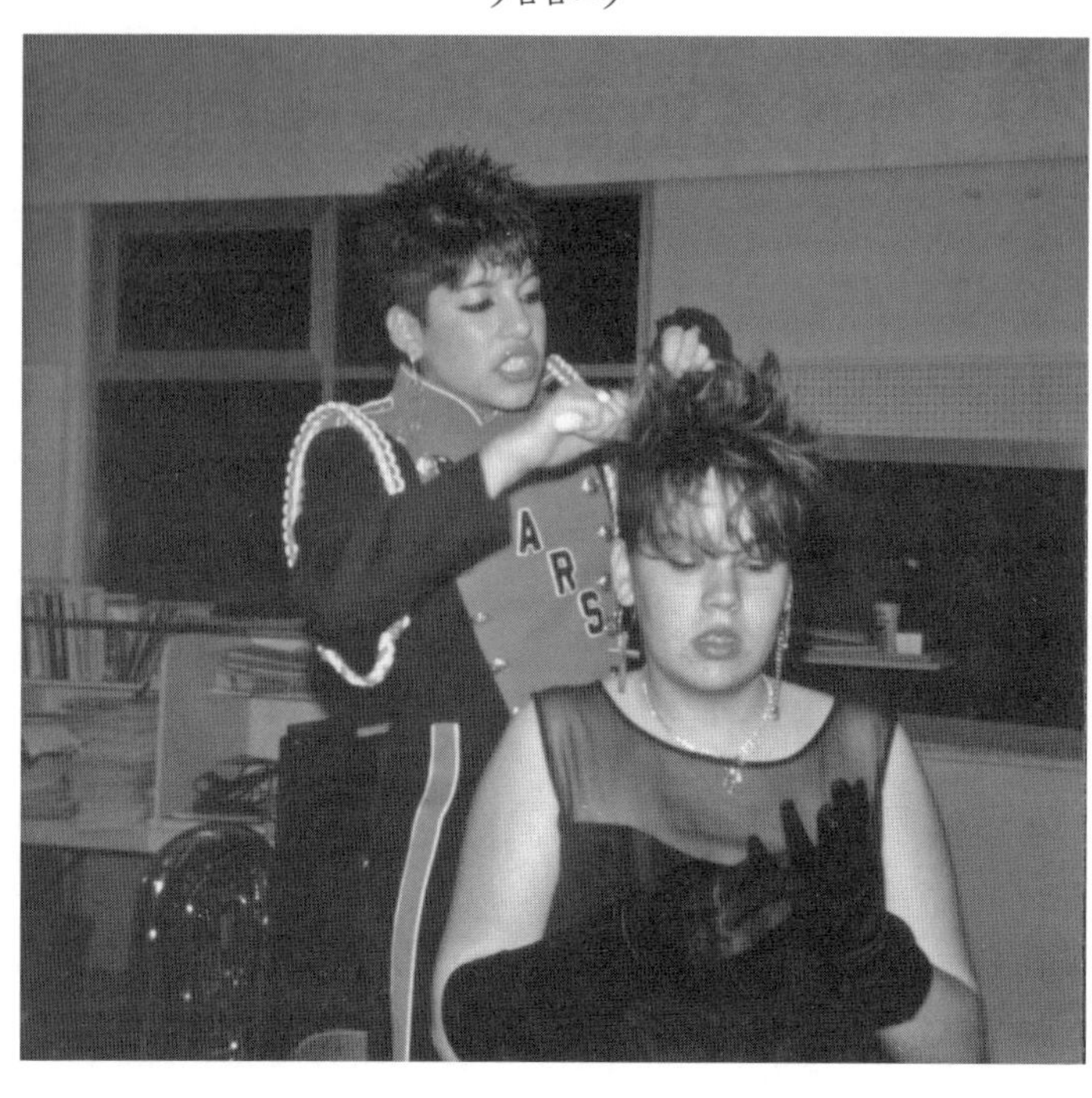

バンドはアイデンティティではない

初めてゴーゴーズを聞いたとき、私はもうバンドをやっていた——学校のバンドだ。担当の楽器はフルート。フルートはきれいだし、女の子向けの楽器としてはよさそうだった。フルートのケースにはユニコーンのシールを貼って、細い皮ひもをつけて毎日学校に持っていった。トロンボーンにしなくてよかった。

そのあとにゴーゴーズを聞いて、「これだ」と直感した。ロックバンドをやるんだ、女性のロックバンドを。ジョニ・ミッチェルの『コート・アンド・スパーク』は母のレコード・コレクションの中で私が一番好きなレコードで、何十時間もそのレコードをかけて一緒に歌っていた。友達のタラと一緒にタレント・コンテストに出るために、「トゥイステッド」に振り付けをして踊ったりもした。母が黒のレオタードに銀色の波模様のひもを縫い付け、おそろいの衣装を用意してくれた。「トゥイステッド」の歌詞には、語り手の女性に対して精神分析医が、いかに彼女の頭がおかしいかを伝え、女性は逆に、その精神分析医の男こそが問題で、彼女自身は子供のころから天才だったと自分でわかっていた、と歌う部分がある。私はそんな歌をそれまで聞いたことがなかった。まだ「黄色い壁紙」〔シャーロット・パーキンス・ギルマンによる短編小説〕すら読んだこともないときの話だ。他にはリンダ・ロンシュタットも聞いた。当時はリンダ・ロンシュタットがメキシコ系アメリカ人だなんて誰も知らなかった。私は『夢はひとつだけ』のジャケットに載っている彼女の大きな茶色の瞳の写真を、穴があくほど眺めていた。

それにしても、ゴーゴーズは本当にかっこよかった。まず人数で圧倒して、反抗的な態度で、男たちはロックはチンコがついていないとできないものだと思っていたが、そんなことお構いなしに、彼女たちはロックしていた。メンバー全員が女性のバンドで、バンドは〝女性たちの居場所〟なんだということがしっくりきた。なぜなら私は女性たち――ワイルドな女性たち、馬に乗る女性たち、裁縫をする女性たち、子守の上手な女性たち、料理の上手な女性たち、パンを焼くのが上手な女性たち――に育てられ、そういった女性たちは、〝女性たちの居場所〟で創造することの大切さを教えてくれたから。

それからクラッシュを聞いた。「これだ」と確信した。パンクバンドをやるんだ。女性のパンクバンドを、何かのために立ち上がるバンドを、「トゥイステッド」みたいな曲を書くバンドを。そして女性を貶めることに対して声を上げるバンドを。それだともっといい。

私は一体パンクロックの何に魅了されたのか、よくわからないと言えるかもしれない。いや、でも違う。パンクロック。このうるさくて、激しくて、アングリーで、速い音楽は、怒りに満ちた人々を、不安な10代を、社会不適合者を、厳しすぎる親を持った子供たちを、普通の人を、クリスチャンを、親から虐待を受けている子供たちを、家庭で暴力を目にした子供たちを、見た目は普通っぽいけど、自分の心の中では普通じゃないと感じている子供たちを、引きつける。面白いことに、パンクロックは労働者階級の子供たちや貧困の中で育った子供たちだけではなく、恵まれた家庭の子供たちをも引きつけるのだ。

私はカリフォルニアの山のふもとにある小さな町で、公的扶助を受け、シングルマザーの母に育てられた。ベイエリアからそんなに遠いわけでもないこのトゥオルミ郡は、あらゆるタイプのヒッピーたちを誘い寄せた。サイケデリックなヒッピー、薬中ヒッピー、田園生活憧れヒッピー、ネイティブアメリカンになりたがりヒッピー、母なる地球を守れヒッピー、ハーブ療法ヒッピー、グレイトフル・デッド・ヒッピー、そしてもちろん普通の小汚いヒッピー。プラスとマイナス両方の大きな影響を私に与えた、このたくましい女性に育てられていなかったら、サブカルチャー自体に反感を持つことになっていたのかもしれない。ただ、田舎の町で暮らすメキシコ系アメリカ人として、チカーナ（メキシコ系アメリカ人女性）として、この場所になじめず、またこの場所を汚（けが）しているという意識が私の頭から離れることはなかった。

今に見ていろ。

ラジオがついた目覚まし時計から流れてくる反逆の音を聞き始めた。モノラルのスピーカーからパチパチと音を立てて流れてくる、クラッシュやゴーゴーズの曲。それからしばらくして、妹のミドルクラスの祖父母がウォークマンのコピー品を私に買ってくれた。ラジオの曲を録音し、それをスポンジのイヤーパッドのヘッドフォンで聞き、ベビーシッターのお小遣いを貯めてアダム&ジ・アンツの『プリンス・チャーミング』を買った。アダム・アントは私にとって、ハリソン・フォードのハン・ソロ、オリビア・ニュートン・ジョンに続く、3人目の夢中になったスターだった。トゥオルミの公営プールでホットピンクの水着を着て「スコーピオ」を聞き、肌を焼いていたのを今でも鮮明に思い出す。アダム・アントの声は私の心の中とよく合っていた。

ただ1983年にクラッシュを見にUSフェスティバルに行ったとき、ジョー・ストラマーが放った言葉が、レコードを出すたびに気まぐれなカメレオンのように衣装を変え、それと一緒にアイデンティティまで変えてしまうスターたちへの熱を忘れさせてくれた。

作って、買って、死ぬ。それがアメリカのモットーだ。買うために生まれる。いいか、イーストLAの人たちに伝えたい。きみたちはそこで一生を過ごすわけじゃない。もし未来に何か変化が起きるとすれば、それは物事のすべてが変わることを意味する。中途半端に白人の未来だけがあるということじゃないんだ。

まるでジョー・ストラマーは、イーストLA生まれで今は小さな町に住み、独自のメキシカンイズムをこの国の片隅で実践しているメキシコ系アメリカ人の私に、直接語りかけているようだった。3日間のフェスティバルが終わって（2日目のメタルの日は行かなかったけど）、すぐに家に帰り、髪を短く切り、自分のまわりの世界を、そしてその中にある自分の居場所を、さらにもっと意識し始めた。

見せてやる。母にだって見せてやる。母はメキシコ系の女の子はみんなロングヘアーにするべきだとまだ思っていた。

アクアネットのヘアスプレーとメイベリンの黒のアイライナーを買った。前にLAに住むチョラ（不良娘）のいとこたちが、赤くて尖ったキャップがついたのを使っているのを見たことがあった。

塗る前にマッチであぶって、ウォーターラインや目のフチを真っ黒に塗り、目尻には長い羽を描いてアーモンド型の目をもっと強調するのだ。

メキシコ系のお粗末な変人少女がトゥオルミに登場。だから見せつけてやった。この見た目は私に合っていたし、本当の自分自身を強く映し出した。母は私たちがイーストＬＡからやって来たチカーナだということをバラしたくなく、長いスカートとマクラメのシャツというヒッピー姿で自分を隠していた。私は母よりもずっと黒い髪と肌で、白人と見られることはなかった。おそらく母もトゥオルミでは白人として認められようとすることはせず、女性であることで守らなければならない習慣があまりないどこかにとけ込もうとしていたのかもしれない。

私もどこかにとけ込みたかったが、自分で何かを創りたくもあった。だから学校のバンドと、のちに高校のマーチングバンドでフルートを吹き、フットボールのハーフタイムにマーチングバンドでパフォーマンスをして、そのあとには自分でドラムを覚えた。高校の先輩で、先住民のミウォク族のケヴィン・ベルニードがドラムのテクニックをいくつか教えてくれ、私のパンク名の「トッド」も彼がつけてくれた。私は彼に夢中だったので、彼がつける名前ならなんでもよかった。私の親友のニコル・ロペス――失踪した父親がメキシコ系で、母親はトゥオルミ生まれトゥオルミ育ちの白人――はギターが弾けた。私たちは別の幼なじみのスージーをヴォーカルに誘った。カバー曲を何曲か覚えて、スージーのマリファナ好き友達のクリスティーナにベースを教え込んで、Bitch Fightを結成。学校がないときや、ほんの少ししかいない地元の他のパンクキッズと遊ばないときは、ニコルの家か私の家で練習し、曲を作り、高校を卒業したらこんなところからおさらばするために準備を始めた。サンフランシスコに引っ越す前だが、クリスティーナはマリファナを吸ってボーイフレンドと遊んでばかりいたので、バンドをクビにした。ニコル、スージーと私は本気だった。このバンドはサンフランシスコで友達を作り、名を上げるための「鍵」になるということはわかっていたから。トゥオルミに残って井の中の蛙で終わるのは耐えられなかった。そして私たち3人は本当にサンフランシスコに引っ越し、友達を作り、バークレーの〈ギルマン〉で何度かライブもやった。でもケンカも絶えなかった。〝女性たちの居場所〟というものをどう維持すればいいのかもよくわからず、つまらない嫉妬のためにケンカを繰り返した。スージーと私はいつも誰かの関心を引くために、特にニコルの関心を引くためにケンカした。もし私たちにリーダーがいたとしたら、それは元気な夢想家のニコルだった。

Bitch Fightで多くのことを学んだ。どうすればもっと我慢できるか、どうすれば人の話がもっと聞けるか、どうすればもっとうまく協働できるか、どうすれば嫉妬やエゴをコントロールできるか。

そうして私はまたスタートした。

一緒に音楽ができる女性を探した。自分たちが聞きたい音楽をプレイしたい女性、それも男性と同じくらいハードにできるバンドで、でも「女性の音」を持ったバンドをやるために。私は女性が抱える問題についての曲を書いて、メンバーともうまくやっていきたかった——Bitch Fightでは幼すぎてできなかったことをやりたかった。でもそのせいで失うものも多かった。Bitch Fightのニコル、スージー、エルカ（サンフランシスコに移ってからギターで加わったメンバー）との関係は終わり、トゥオルミのことは一切忘れ、自分ひとりでベイエリアのシーンにとけ込まないといけなかった。私はどこにもとけ込めない感覚を常に抱いていたが、その原因が、単に私がチカーナであること、また1990年代の肌の色で差別をしない（カラーブラインド）状況から来るものだけではないことをひとりで理解するには、未熟だった。それは私の階級的なずれが理由で（その点はBitch Fightのメンバーと共通していた）、そのずれは私の中に侵入し、自分は〝他者〟なのだと思い込ませた。ただそのせいで他にはない視点を持つことにもなった。その視点を長い間無視しようとしたけど、そうはさせてもらえず、それは絶えず私を苦しめた。全員女性のハードコア・パンクのバンドをやることだけが、自分が何者なのかをはっきりと示す方法なのではない。その視点はいつもそう私にささやきかけていた。

第1章

ライオット・ガールのバンドじゃない

「Spitboyは現在活動している最高のガールズ・バンドだ。Spitboyは思いつくすべてのライオット・ガールのバンドに食ってかかる。Spitboyの汚れた指先は、コートニー・ラヴ、キャスリーン・ハンナ、キャット・ビーエランドが束になったよりも強力だ。（中略）今夜のショウで、汗くさく、アングリーで、でも曲の合間にはユーモアがあふれ、愛嬌のあるこの4人の女性たちに、私は心を奪われた。（中略）Spitboyは、怒りだけではなく、その真っ直ぐさにおいて、この上なく刺激的だ。Spitboyは男性ではなくセクシズムを憎む。自分たちの言葉に責任を持ち、正当な攻撃の方法を身につけているのだ。」

——メロディーメーカー誌　1993年4月10日
ルーシー・スウィート、“Live!”レビューそれは当時すでに様子のおかしかった街、ワシントンDCで起きた。一方通行ばかりの通りや環状交差点で道に迷った末、私たちはようやくその夜のショウの会場に着いた。道沿いに木々とヴィクトリア朝風の建物が並ぶ、気取った感じの通りにある、天井の高い店だった。このツアーで、教会の地下や中西部のエルクス慈善保護会の施設などでもショウをやってきたが、それにしてもそこは妙な場所だった。

私はバンから出て、ツアー中はよくそうしたように、エイドリアンのドタバタしたブーツのあとをぴったりと追った。エイドリアンは外向的な性格で、何かが疑わしいときにはその性格はさらに強まった。一方で私は遠慮しがちな性格だった。その夜のショウの対バンにはライオット・ガールのバンドはいなかったが、Bikini Kill のメンバーや Nation of Ulysses の男たちが見に来ていた。ベイエリアのバンドはツアーに出れば各地で注目を集めたし、Spitboy のショウには女性が集まった。Bikini Kill とその友人たちは、Spitboy がどんなものなのか、その目で確かめに来たというわけだ。

エイドリアンは機材を入れる場所を確認するためにショウの企画者を探し、会場のドアに進んだ。エイドリアンはいつも笑顔でまっすぐな歯を見せ、青い目を輝かせ、自分から自己紹介をして、気楽に笑って、握手をして、ハグが必要ならハグをする。なのでエイドリアンと一緒にいれば、新しい人やシーンにいるよく知らない人たちと会うときの、あの気後れする時間をやり過ごせる。私は誰かと握手するのもためらったし、どれだけその人がSpitboyのことを好きだろうが、知らない人にハグされたくなかったし、私の体にさわってほしくなかった、特に男性には。ライオット・ガールの領域にいて、すでに気が張っているときはなおさら嫌だった。

「ライオット・ガール」というラベルと同じように、ハグは悩みのタネとなった。そのツアー中、DCにやって来る前、どこかの街でのショウの帰り、ショウの企画者の友人の男が私たち全員にハグを求めてきた。バンドの中でその申し出にゾッとしたのは明らかに私だけだった。「僕のハグは最高だってみんな言うんだ。ハグしたい?」その若い男はそう言って腕を広げて、私たちの誰かが胸に飛び込んでくるのを待っていた。男は白人で、太ってるわけではないけど丸っこくて、ちょっと大きめで、たぶんベジタリアンだけど野菜なんかはほとんど食べずに、チーズとパンとビールや炭酸ジュースで生活しているようなタイプのパンク男だ。

「もちろん、ハグしようよ」エイドリアンは笑顔で前に出た。

私は一歩後ろに下がり、ボコボコにへこんでいる自分たちの青いバンの方を見た。

「本当にハグが上手だね」エイドリアンは近くに立っていたカリンの方を向く。「カリン、ハグしてもらいなよ」

カリンが前に出て、男にハグさせ、カリンもハグのお返しをする。

男がカリンとハグしているとき、彼の顔がカリンの肩越しに見えた。男はハグする腕の力を強め、目をギュッとつむり、のぼせた顔をしている。

「わかった、じゃあ私も」 ポーラが言った。

私は脇に移動して、男が目を開けたときにその視界に入らないようにした。

男がポーラを離すと、「ありがとう」とポーラが言った。

私は下を向いて、道路の脇の、アスファルトと土との境目の部分を見ていた。みんなの目が私に向けられているのを感じた。

「きみもハグする?」 〃ハギー・ベアー少年〃が笑顔でこちらに近づいてくる。

「いや、しない」 彼が近づきすぎる前に私は言った。「ありがとう」とつけ加えて。

ハギー・ベアー少年はのしのしした歩みを止めた。彼が腕を下げると気まずい沈黙が流れた。

動物の形をしたふたつの風船が空に飛んでいくみたいだった。

バンの中で、私は説明しないといけないと思った。バンドのモットーの「私の身体は私のもの」は、ファンに対してはあてはまらないようだった。

「でもいい人だったよ」 エイドリアンが言う。

カリンとポーラは前の座席に座り、車を発進させてそこを去りながら、ハギー・ベアー少年とその友人に手を振っていた。私も最悪に嫌な奴だとは思われたくなかったから、手を振り無理に笑顔を作った。

「あれがあの男の精一杯のアピールだったんだろうね」　その場所から1ブロックくらい離れて私は言った。

「トッド……」　カリンが驚いて私を諌めたが、結局笑っていた。彼女もたぶんそう思っていたんだろう。

実際に話をしたなど現実的なつながりがない限り、ファンにハグされるのは嫌だったけれど、一方で私は不思議にも自分に自信があった。ライブをやる前に緊張することもほとんどなかったが、ただBikini KillやNation of Ulyssesのメンバーの前でライブをやったこの夜は緊張していた。怖気づいていたのだ。自分たちの出番の前に、背の高い男が近づいてきて、フロアにいる男性は後ろの方に移動する必要があるかを聞いてきた。当時Bikini Killのセットでは、男性はそうするように言われていたのだ。私は耳を疑ったが、同時に自分のストレスの矛先を見つけた。

ドラムセットの椅子に座り、自分のマイクを引き寄せてこう言った。「ライブをやる前に言わせてください。男性はフロアの後ろに移動しなくてもいいです。私たちはライオット・ガールのバンドじゃないから」　そう言った途端、場が凍りついた。みんな口をあんぐりと開けて黙っている。まるで誰かが会場のボリュームをオフにしたみたいだった。

〝怒りキャラ〟になった私は、見て見ぬふりをされているこの問題について図らずも発言することになった。でもその言い方がまずくて、よく考えずに口から出てしまった言葉で、自分の居場所を汚してしまった。私はライオット・ガールの神聖な教会を冒瀆し、法悦を破壊したのだ。でもう言ってしまったことだ。私たちは1992年に活動している女性のパンクバンドであり、ライオット・ガールのバンドではなかった。バンドの他のメンバーにとっても、それを言ったのが私だったのはよかったのかもしれない。それ以降私は、ライオット・ガールのほぼ全員からもっとも憎まれるSpitwomanになったわけだから。私は大胆で、バンドの中では唯一ミドルクラス育ちではなく、白人じゃないメンバーだったから。打たれ強くてケンカ腰だったから。でも他の3人は私に加勢してくれた。その点はSpitboyの素晴らしいところだった。私たちはときどき観客からの反応や文句について話し合ったが、バンドの誰かがステージで何かに激怒したときには、それを止めることはしなかったし、メンバーの誰かが何かについて最初に話したら、他のメンバーがそれに続いて意見をつけ加えるようになっていた。このときは、エイドリアンがていねいにその場を取り繕った。

「女性の視界はさえぎらないでください。自分より背の低い人の前には立たないで。ただ常識的に考えてくれればいい」

　私の放った一撃を和らげるエイドリアンの試みはありがたかった。しかし私の手足は震え始め、次の句が出てしまった。「私たちはライオット・ガールのバンドじゃないから」と私はまた言い、フロアの人たちの呆然とした表情が見えた。私たちはライオット・ガールを侮辱しようとしていたわけではなかった。Spitboyが戦っていたものはライオット・ガールとほとんど同じだったから、「私たちはライオット・ガールのバンドだ」と言えたら楽だっただろう。でも私たちには決定的な違いが3つあった。Spitboyはライオット・ガールのムーヴメントの初期にベイエリアで結成された。私たちは男女分離主義を支持しなかった。そして私たちは、「ガール」と呼ばれたくなかった。

はっきりと声に出して公に放ったこの一言——それまではメンバー間でのみ話し合ってきたことだった——は、全国のパンクロックのシーンにおいて強い影響力を持った女性のムーヴメントのひとつと私たちの関係を永遠に変え、ぎこちないライバル関係を作ってしまった。ただそれでも、ショウで男性を後ろに追いやらないことについては十分話し合った上で決めたことだった。私たちはセクシズムを憎んだ。でも男性すべてを憎んだわけではないし、Bikini Killのことも憎んではいなかった。もし過去に戻ってもう一度やり直せるとしたら、違う方法を取るかもしれない。私は図々しさを少し減らすか、別の言葉を選ぶかもしれない。でもそこまで、そこまで違うことは言わないだろう。

第2章

白人のクソ女を殺せ

Spitboy は初の7インチ・レコードをリリースすることになり、ポーラ、カリン、エイドリアン、私の4人はたくさんのことを決めた。そもそも持ち曲がそんなになかったから、どの曲をレコードに入れるかは簡単に決まった。メンバーの中でそれまでにバンドをやってレコードを出した経験があったのは私だけだったが、どういうわけか、4人ともこのレコードを作る作業に尻込みすることはなかった。カリンとポーラはマキシマム・ロックンロール関係のプロジェクトのひとつ、サンフランシスコの Blacklist Mailorder でボランティアをやっていたし、エイドリアンはアートのレイアウトの経験があり、すでに自分のジンを数年間作っていた。バンド名が決まってから――ライターで、のちの Gag Order のヴォーカルのウェンディ・O・マティックが知恵を貸してくれた——、バンドとしての最初の大きな決断は、この初のレコードのジャケットに何を載せるかだった。この決断はそのあと6年にわたり、私たちの「協働する方法」——目的を議論し、アイデアを出し合い、そのアイデアを独りよがりになることなくメンバー間で共有し、試し、集団としての結論を出すこと——のモデルとなった。

こういった話し合いは、イースト・オークランドのレイニー・カレッジの近くにあった私たちのリハーサル部屋で行っていた。練習の前や曲の合間などに、どんなアートワークでSpitboyを表したいのかを、私はドラムセットの椅子に座って、カリンとポーラは楽器を肩からぶら下げたまま相談した。女性の問題を歌う女性のパンクバンドである私たちを表現するには、どんなイメージや画像がいいのか、かなり長い時間話し合ったが、議論は何か写真を使おうという方向にだんだんと進んでいった。ある日、丸一日仕事したあとの夜のスタジオで、エイドリアンが毎日の通勤で目にする落書きについて教えてくれた。エイドリアンはテレグラフ・アベニュー沿いで働いていて、車を持っていたけど職場の近くで駐車場代を払うのが嫌で、また健康のために、毎日2マイル〔約3.2キロメートル〕かそこらを歩いて通っていた。それどころか、彼女はほとんど車を運転することがなかった。ハンドルを握ると少し緊張するのか、歩ける距離であればいつも徒歩だった。仕事にも、店にも、郵便局にも、ボーイフレンドの家にも、危険でなければどこへでも歩いて行った。私は路上でかなり頻繁(ひんぱん)にハラスメントを受けたので、車を持ってからは近くでも歩くのを避けて車で移動した。メンバー内でも路上でのハラスメントについてはかなり話し合ったし、Spitboy の曲「The Threat」のテーマにもなったが、それもあってエイドリアンは、テレグラフ・アベニューを高速24号線の高架が跨ぐところのオークランド側に、露骨になぐり書きされたこの言葉に気づいたというわけだ。そこには「白人のクソ女を殺せ」と書かれていた。

「明日カメラ持って、それ撮ってくる」エイドリアンが言った。「週末に現像して、月曜の練習に持ってくるね」

その不快な落書きの写真を撮り、次の練習に持ってきてみんなで確かめるのはいいアイデアだと全員が納得した。レコードのジャケットを決めるのにはいいスタートだ。

月曜のスタジオで、エイドリアンはバックパックから写真を取り出した。写真は何枚かあり、みんなで回して見た。その写真を見てぞっとした。大きな落書きではないが、他の落書きや高架を這い上がるツタなどがある中に、それは確かに書かれていた。アートとかそういうものではまったくなく、それは〝主張〟だった。

「どうだろう」なぜその写真に嫌なものを感じ、最初のレコードのジャケットにはふさわしくないと思ったのかもよくわからないまま、私はそう言った。

「うーん……」とカリン。

「女性の身に起きる危険を表してはいるよね」エイドリアンが言った。

「確かにそう」カリンが同意する。

「うん、それはそう。でもそれを書いた人について、私たちが一体何を言うの？」と私は言った。

「白人のクソ女」という言葉が私には当てはまらないことも言いたかったが、ほとんどが白人のパンクシーンで活動する、メンバーのほとんどが白人のバンドにあって、私はメキシコ系、チカーナだということをこれまであまり言ってこなかったから、それをどう説明したらいいのかわからなかった。短い髪やタトゥー、パンクの格好で、シーンにとけ込んだ方が楽だった。

ポーラはこの点もっと精通していて、周縁化された集団が直面する問題に対しては、他のメンバーよりももっと自然に理解していたが（私はこういった問題の当事者だったが、まだ自分の人生を分析することもできなかった）、そんな彼女がこう言った。

「もしこの落書きの写真を使うなら、路上での女性の安全よりも、人種について何か意見を書いた方がいいでしょ。そうすればこれを書いた人を、ミソジニスト（女性嫌悪主義者）として、それにレイシスト（人種差別主義者）として非難することになる。でも、たとえそうだとしても、この写真は違うんじゃない？」

ポーラの言ったことが腑に落ちて、みんなうなずいた。

「そういうふうには考えなかったけど、確かにその通りだ」とエイドリアンが言った。

「私は白人じゃないから、この落書きは4人全員に当てはまらないしね」と、私はようやく自分の気持ちを表す言葉を見つけて言った。

私の言葉に反応はなかったが、少なくともその言葉を吐き出すことができた。

自分たちのメッセージをあいまいにさせたくなかったから、ジャケットには結局違う写真を使うことにした。ただこのようにして私たちは作業をした。綿密に議論を重ね、全員の同意を得て、最終的な決定をした。Spitboy の最初の7インチに使った写真には、真っ黒な背景にエイドリアンのぼやけた裸体が浮かび、その腕は動き、残像を描いている。その写真は写真家の友達に撮ってもらったものだが、美しい体の曲線を慈しむエイドリアンの姿は、力強くポジティブな心、そして確固たる女性性を体現している。最初の案にあった、被害者意識のネガティブさとは遠く離れて。

第3章

パンク・ポイント

1990年代、まだ私たちが人種や階級の〝特権〟を理解する前は、郊外で育つことはかっこ悪いことだと思われていた。ウォールナットクリーク、コンコード、フリーモント育ちはダサいことだったが、イーストベイの〈ギルマン〉のシーンにいたパンクキッズの多くは、そういった郊外の町育ちだった。ウォールナットクリークから来たということはすなわち金持ち家庭で育ったことを意味し、またフリーモントは本当の「郊外育ち」というわけだ。ただもちろん、誰もがバークレーやオークランド、サンフランシスコで育つことができるわけではない。

私も心の中では、小さな町で育ったというのはダサいことだと思っていた。小さな町は、古風で、つまらなく、ただただ田舎じみすぎていた。私がトゥオルミ郡のトゥオルミという小さな町で育ったことをかっこいいと思ったただひとりの人物は、Crimpshrine のアーロン・エリオットだった。ある夏に彼を地元に連れて行ったあとでも、彼はまだトゥオルミ育ちがかっこいいと思っていた。トゥオルミに連れて行ったら私のことをダサいと思わないいか心配だったが、彼はそうは思わなかった。クラベイ川の白と黒の花崗岩の上で、ジーンズを切った短パン姿でブロンドにブリーチした髪が輝いている彼の写真を、私は今でも持っている。

アーロンは女の子ドラマーとデートするのがかっこいいと思っていた珍しい男でもあった。私はアーロンの、長い腕と出っ張った膝で叩きにくそうなドラムのスタイルや、厚ぼったい唇、ブリーチしたブロンドの髪が好きで、自称イタリア系だけど、彼の母親や姉妹は明らかにメキシコ系で、謎めいていて、ローディーをやるせいでよく遠距離の関係になったこのボーイフレンドには、別れるまでずっと私のことを追いかけさせておいた。アーロンは私の褐色の肌が好きで、私が田舎の小さな町の出身だということについてあれこれ話すのも好きだった。Bitch Fight はサンフランシスコじゃなくて、トゥオルミのバンドだと言った方がよかった、と意見されたこともあった。彼は少し威張ったところもあったが、当時の私たちの年齢ではなかなか気づかないようなものの見方をしていた。アーロンは私が田舎出身だということを知りたがったのと、〝パンク・ポイント〟制度を取り決め、また同時にその制度を覆そうとしていたのもよかった。ただなぜ私がトゥオルミ育ちという事実を隠したがっていたのか、その理由は彼にはわからなかった。でも私自身もわかっていなかったから、説明することもできなかった。

それまでに何度もこの話をしていたが、当時ニコルとシェアしていたヘイト・ストリートとウェブスター・ストリートの角のアパートにアーロンといたあるとき、彼はまたその話を持ち出した。アーロンが徹夜した朝の遅い時間で、ヴィクトリア朝風の大きな窓から陽の光が明るく差し込んでいた。たぶんパンクのショウに行こうと、イーストベイに戻る用意をしていたときだった。

「トゥオルミのバンドだって言ったらもっとかっこいいのに。トゥオルミのバンドなんて他にいないだろ」

陽の光が突然私の目に突き刺さった。

「でも私たちみんながそうじゃないし。エルカは違う」

グチっぽくならないように私は言った。うまく説明したかったが、できなかった。18歳では、心の中の混乱や、薬物中毒の母親の元に弟や妹を置いてきた罪悪感、公的扶助を受けたみじめな環境で育った恥ずかしさに立ち向かう成熟や勇気を、またマイノリティや他者としてあしらわれることへの怒りを、持ち合わせていなかった。

怒りにとらわれ、アーロンだって人と違うじゃないかと言うこともできた。オタクで、世慣れしていなくて、パンクロックで、でもそのパンクロックの部分というのは、アティテュード、破れたジーンズ、手首に巻いたよくわからないもの、と、どれもこれも外そうと思えば外せるものばかりだ。でもそれよりももう少し、ことは複雑なんだというのは知っている。いつもそうだ。

パンク・ポイントとは、主にイーストベイのシーン内で使われた、その人が〝いかにパンクであるか〟を架空のポイントで点数化する、冗談半分の制度だ。郊外や小さな町というのはパンク・ポイントを与えてはくれないけれど、トゥオルミのような小さな町育ちということは、ウォールナットクリークのような金持ちの町で育ったのとは正反対だった。トゥオルミの町は人が思うような古風で魅力的な場所ではない。山を上ったところにあるトゥウェイン・ハートという観光地のことを、古くて魅力的だと言うんだろう。郡庁所在地のソノラもそうだと思われているかもしれないが、トゥオルミは明らかに違う。トゥオルミは寂（さび）れた町だった。中心街とされる区域にある店舗のほとんどはウィンドウに板が張られて閉まっていて、数軒のバーだけがなんとかやっていけていた。大通りを入ったところにあるユースセンターの隣にキッチン設備のついたレストラン向けの建物があったが、誰かがそこで新しくお店を始めても、1年と続いたことはなかった。外食する余裕のある人たちは、ソノラやトゥウェイン・ハートまで車で出かけるからだ。町には小金持ちが少しだけいたが、ほとんどの人はその日暮らしで、私の家の場合はフードスタンプ頼みだった。私が12歳になるまで家にはテレビもなかった。ベイエリアのヒッピー友人たちの影響で、母は長い間テレビを信用しなかった。買う余裕のないものをそもそも信じないとは、随分都合のいいことだ。家にやって来た最初のテレビは、母が私の妹の父と別れてから初めて真面目に付き合ったボーイフレンドのものだった。

このパンク・ポイント制度以前から、私は自分で決めた価値基準に従って生きていたが、政治や社会問題に興味を持ち始めた人間にとって、家にテレビがないのは大きなマイナスだった。ニコルの母親はよくニコルと一緒に私にもテレビを見させてくれた。ニカラグアやエルサルバドルの社会不安について知っておくことは重要だと考えていたからだが、ただ私はニュースを見ても何が起きているのかさっぱり理解できなかった。私の母は頭のいい人だが、あまり本は読まず、11年生のときに私を妊娠していることが発覚し、高校を退学になった。母は家の居間で、ジョイントを片手に座りながら、『指輪物語』シリーズや「魔法使いマーリン」についての本を読んでいて、私にも読ませようとしていた。ただ母は新聞を読まなかったし、社会問題にも特に関心はなかった。現実よりも空想を好む人だった。

ニコルの家で全国放送の夜のニュースを見ていて、私は自分の知性を疑い始めた。ニコルの母がこの国の中央アメリカへの関与について、できるかぎり知ろうとしていたので助かった。要約して私たちに教えてくれたり、ラジオを録音してあとで聞かせてくれることもあったから。

ニコルの家で夜のニュースを見て、一緒に宿題をやって、家の入り口まで車で送ってもらい、家までの未舗装の長い私道を歩きながら疑問に思った。一生懸命集中しているときですら、世の中で起きていることを、私はなぜ理解できないんだろう。ニュースは誰もがわかるものじゃないの？

そのあと、Spitboyが始まるずっと前、頭がよくなりたいという強い欲求が芽生えた。とても頭のいいニコルとニコルの母に感化されたのだ。70年代や80年代は、私のような人間はその時代の〝美の基準〟から外れた人間だったから、私の見た目で世の中を渡っていこうなんて思いもしなかった。ただそれだけじゃなかった。私を育てた女性たち、つまり私の母親とその友人には物知りな人もいたし、中には専門家もいた。おばのジュードは馬の専門家で、母は裁縫のプロ、別のおばのキャシーは子守のプロだった。ニコルとニコルの母、そして私がソノラの反戦グループに参加するまで、私はニコルの母以外に国際問題に関心がある人を誰も知らなかった。政治に関心を持ちながらもニュースの内容が理解できないので、私は悩んだ。私も専門家になりたかった。私が知っている人たちは誰も、ニュース番組の人たちがやっているみたいに、真面目でちゃんとした服装をして、インタビューにコメントを挟んだりして自分の意見を言うことはなかった。ただ自分がバカすぎてニュースを理解できないんだと思っていた。

ニコル、スージーと私の3人で1987年にサンフランシスコに引っ越したとき、まわりはみんなもっと世慣れしていて、もっとパンクだった。私たちは「田舎者」というわけではなかったけど、田舎の町で育ったのは確かで、そのことを人に知られたくなかった。ベイエリアでは物事はどのように動いているのか、ショウではどう振る舞うのがいいのか、私たちは絶えず心のメモを取った。スージーはアイライナーを濃くし、ニコルはもっとスケーター風の格好をして、私はアクアネットのヘアスプレーを使うのをやめて、髪は3人ともクリンプヘアにした。機会があれば、自分たちの今住んでいる場所を伝えた。

「私たちデルマー・ストリートに住んでるんだ。ヘイトからちょっと入ったところ」聞かれれば3人のうちの誰かがそう言っていた。

「〈ラスプーチン〉からちょっと行ったところだよ」レコード屋の近くに住むなんて、めちゃくちゃかっこいいことだと思っていた。

私たちはそこに属して、田舎者じゃないことを証明したかった。私はクラッシュのアルバム『サンディニスタ！』が、ソモサ一族による長年の独裁政権を打倒したダニエル・オルテガ率いるニカラグアの革命軍にちなんで名付けられたことを（全国放送の夜のニュースはその話を部分的にしか報道していなかった）、またロナルド・レーガンは、エルサルバドルの死の部隊に資金提供していたことを知っている人間なんだと、他人から思われたかった。

Bitch Fight もそうだったように、Spitboy のメンバーで、私たちが住んでいたバークレー、オークランドやサンフランシスコで育った人はもちろん誰もいなかった。ただメンバーの中では私だけが、小さな町で、シングルマザーのもと、相対的貧困の中で育った。Spitboy では私は尖ったキャラでいようとする必要はまったくなかった。すでにバンドをふたつやってきていたのでパンクロックのシーンでは認知されていたが、Spitboy のメンバーとしては、頭がよくて、特定のひとつとかではなく、すべての社会問題に精通していて、昔はテレビのニュースが理解できなかったとか、薬物中毒の母親がいるなんてことは見せないようにしないといけないと感じていた。比較的裕福な家庭に、白人という特権を持って生まれたカリン、ポーラ、エイドリアンのアイデンティティは、もっと楽なものだったのかもしれない。それでも彼女たちも気をつけていないと、パンク・ポイントを失うことになった。

ポーラはサンノゼで育ち、サンディエゴにも少し住んだことがあり、私が出会ったときはオークランドの倉庫に住んでいて、彼女は見たところではメンバーの中で最も人生経験が豊富だった。カリンは中西部出身で、エイドリアンはプレザントン出身だった。カリフォルニア州プレザントン。トライ・バレー〔ベイエリアの東側にある地域〕の中でも最も裕福な町で、オークランドから山を越えてすぐにあり、カリフォルニア州の中でも最高の学校がいくつかあり、主に「プレザントン（楽しい町）」というその名前だけのせいで、アメリカの中でもパンクロックが一番似合わない町のひとつだった。エイドリアンは「どこ育ち？」という質問から逃げることはまったくなかったけど、自分から言ってまわるようなこともしなかった。プレザントン出身だと白状することはまったくパンクじゃないことだったから、エイドリアンがそれを言うときは、いつも笑って恥ずかしがっていた。

その一方でカリンは自分の地元にコンプレックスはなさそうで、というのもそれは当然で、そんなことを気にする理由は彼女にはなかった。人は誰も自らの生まれを選ぶことができない。カリンはミズーリからサンフランシスコに越してきたが、父親がボーイング社で仕事をしていたこともあって、生まれたのはドイツだった。カリンの両親はとても優しくて、休暇にはイギリス領ヴァージン諸島に船旅に出て、夕食にはいいワインを飲み、ベイエリアに引っ越してパンクバンドに入るというカリンの決断をサポートし、そのパンクバンドにすら興味を持つような人たちだった。カリンは中西部を離れる前にフランス語とジャーナリズムで学士を取り、ベイエリアへの移住をちゃんと準備し、自活できるようになってから越してきた。両親はそんな娘のことを本当に信用していたようだった。正直なところ、私はそんな船旅なんてまるで何のことという感じだったが、カリンのゲムバス一家が子供のためにやってきたこと――子供たちを教育し、愛し、信じ、やりたいようにやらせる――は素晴らしいことだと思った。

ただ、バンドの中で私だけがシングルマザーに育てられ、親は離婚しているから本当の休暇なんかに行ったこともない、という事実を忘れることはなかった。だから私は劣等感を感じないようにしようと心に決めた。それでもSpitwomenは今まで一度もトゥオルミに来たことはなく、私が育ったガタガタの家も見たことがなければ、クラベイ川で泳いだことも、私のワイルドな母に会ったこともなかったし、私が話したこと以外には、私がどうやって育ったかを知ることもなかった。また私自身も、彼女たちをトゥオルミに連れて行こうと考えたこともなかった。なぜなら、トゥオルミから長く離れているほど、私は世界をより彼女たちの目で見るようになっていたから。

でもトゥオルミは私が住む場所としてはもう機能していなかった。そこにいれば人生の選択肢もなく、破綻した地だということはわかっていた。でも私自身はそうじゃなかった。

第4章

悪の華

Spitboyのシンボルとして使われているアートワークは、私がデイモン・ダグラスの蔵書を見ていたときに見つけたものだ。デイモンはベイエリアの活発なパンクシーンにひき寄せられて、ニューヨークからやって来た。私がそのアートワークを見つけた『悪の華』は、デイモンと、当時の私のボーイフレンドのニール・グリマー——彫刻家で、短命だったけれど影響力のあったバンド、Paxston Quigglyをのちに結成——が借りていた倉庫のキッチンの隣の部屋にあった、古い牛乳箱の上に積まれた本の一番上に置かれていた。

裸の女性が片腕を上げて顔を隠しているのが印象的な角張った絵に、私は息を呑んだ。朝早くに起きた私は、キッチンでコーヒーをいれ、その本を手に取り、薄汚くて沈んだカウチに座ってコーヒーができるまでパラパラとページをめくった。天窓からの光は本を読むのにちょうどよく、『悪の華』のボードレールの詩をいくつか読んでみようと思ったのだが、最初のイラストを見た途端に、ボードレールを理解しようなんてことはどうでもよくなった。詩句の載ったページはさっさと飛ばして、次のイラストが見つかるまでページを繰った。ニューヨークのPeter Pauper Pressから出版された『悪の華』のこの版には、女性の裸体の木版画が挿画として入っていた。ずっしりとした黒い線で描かれたすべての挿画に、目を奪われずにはいられなかった。ラブシーンを描いたものもあったが、ほとんどは裸の女性がひとりのものだった。ふたつ目に見たものが、裸の女性が片手で顔を覆っているデザインで、それを見た瞬間に、これこそSpitboyのイメージだと直感した。その絵は強烈に女性的で、強く、そして無防備だった。まるで私たちのように。

その木版画は、重く黒い線で、大きな手を固く握りしめて目を覆っている女性を描いている。顔を覆う手はある種の苦悶をほのめかしているが、その女性は裸で、恥じることもなく胸はむき出しだ。濃いピンク色の大きな乳首は、見る者の目を版画の中央へとひき寄せる。深い黒色で描かれた女性の髪も印象的だ。先端が尖った形をしている垂れ下がった髪は、彼女の豊満な腹部の中央のへそを向いている。オリジナルの木版画は背景がピンク色だが、私たちにはカラーコピーを使える環境もないから、白黒のバージョンを使うことになるだろう。白黒の方がパンクロックだし。

その『悪の華』の本の題名に使われていたフォントは変わっていて、ずっしりした黒い書体に尖ったセリフ〔アルファベットの端につく小さな飾り〕が付いていた。その倉庫で私は、偶然そのフォントと似たレタリングシートを見つけた。パソコンでデザインをする前の時代に、チラシや小さなポスターを作るのに使われていたようなものだ。何種類かあったレタリング用のシートの中のひとつが、たまたまその本の題名に使われていたフォントと似ていた。私は本とシートを持ってバークレーのクリシュナ・コピーセンターへ行き、絵をコピーし、レタリングシートを使って"SPITBOY"とつづってロゴを作った。そうしてできたのがあのSpitboyのロゴだ。まさかこの絵がその後長きにわたって私たちを定義し象徴することになるとは、そのときは知りもしなかったし、思ってもいなかった。

その『悪の華』の絵を見つけたときは、Spitboyは結成してまだ間もないころだった。私たちは、42番街の倉庫、私がその本を見つけた倉庫だが、そこでバンド初のショウをやろうとしていて、歌詞を載せたビラを作り、私たちの歌詞に興味のある人に渡そうかと考えていた。ただそのときは歌詞シートやロゴを作ることよりも、曲を作って練習することに集中していて、アートワークを優先して作ろうとも思っていなかった。シーンにはニール・グリマーのように、絵をどこかから見つけてきてはステンシルを作ることのできる人たちがたくさんいた。ニールはEconochristや、のちにPaxston Quigglyのアートワークを手掛けている。パンクバンドにとっては、雑誌や本から何かを拝借して音源のジャケットやロゴに使うのは珍しいことではなかった。Spitboyの誰にもニールのような才能はなかったから、ちゃんとしたイメージを見つけることはバンドにとってとても重要なことだった。だから何か印象的なイメージはないかいつも目を光らせ、そうやって見つかったジェフ・ヒルによる『悪の華』のその木版画を使ってロゴを作り、歌詞シートにそのイメージを使うことにした。

最初のショウに歌詞シートやロゴが間に合い満足だった。その日来たのはほとんどが友達で、Filth, Neurosis, Econochristのメンバーなどが見に来ていて、私たちが新しくやっていることをお披露目するような場だった。セメントの床、高い天井、私たちの女性性を照らす天窓からの光。その倉庫にいた全員が、Spitboyというメンバー全員が女性のバンドが、一般に「男性の音楽」だと考えられているものをこれからプレイすることに興味津々だった。1曲目を始める前、ドラムセットを前に座ってフロアを見ると、このショウはテストか何かなんだと実感した。「Spitboyは本当にできるのか?」 Spitboyをこのシーンに初めて見せることを私もずっと楽しみにしていたが、いざ本番になると、会場のみんなの顔はぼやけ、ちゃんとできるのか不安でもあった。セットが終わって、承認を意味するうなずきを見たが、シーンの男性たちはお互いに対しては見せ合っている敬意を、私たちには同じようには表さなかった。私たちは依然として珍しい存在であり、おまけに試されているのだ。

Spitboyの他にも歌詞シートをショウで配るバンドはいくつか見たことがあるが、あまり一般的なことではなかった。のちに私たちはすべてのショウで歌詞シートを配ることにした。海外ツアーのときも同じように行い、歌詞をスペイン語、ドイツ語、イタリア語に翻訳するのにお金を払ってシートを作り、配布した。ショウに来ている女性が歌詞シートを見て、次の曲の歌詞を探して、うなずきながら、歌詞を読みながら、笑顔になっていくのを見るのがとても好きだった。結果的には、そういった女性たちにSpitboyの曲が届き、「承認」されることが、一番大切だった。

第5章

The Threat——脅威——

Spitboyの最初のレコードは、ケヴィン・アーミーとレコーディングを行った。ケヴィンはとても素晴らしい人で、エンジニアと指南役の二役をやってくれた。それまでSpitboyは「Seriously」の1曲のみレコーディングしたことがあっただけで、その曲は3つか4つのコードを使っただけの真っ直ぐなパンクロックの曲で、エイドリアンがメイン・ヴォーカルを、私は少しだけコーラスを担当したが、私たちの歌い方は、活動するうちに何となく身につけたものだった。ケヴィンとスタジオに入って、私たちはとんでもない発見をした。みんなでコーラスを録ったら、自分たちの声が金切り声をあげる女性みたいだったのだ。

1日かけて楽器隊のレコーディングをして、ヴォーカルの部分は最後に残してあった。「Ultimate

Violations」は女性への性的暴行とその後遺症について、私が書いた曲だ。このヴォーカルを録るときに、私はまるで幽体離脱のような体験をしたが、それでもケヴィンはとてもよく面倒を見てくれた。1テイク終わるたびに着ているものを次々と脱ぎ捨てても——最初は靴を、次に靴下、そのあとはタンクトップの上に着ていたバンドTシャツか何か——、彼は困った様子もまったく見せなかったし、過去に経験したひどい暴行の記憶を追い払おうと思いながらその歌をレコーディングしているときに、私は部屋の角に浮遊していて、そこから歌っている自分自身を見下ろしていたという感覚を説明したときでも、彼はその話に熱心に耳を傾け、心配してくれているようだった。

エイドリアンが書いた曲、「The Threat」は、夜に女性がひとりで通りを歩くことがどういうことなのか、私たちが感じる恐怖やその不当さについて歌った曲だ。エイドリアンが自分のヴォーカル・パートを録り終え、次に残りの3人、ポーラ、カリン、私の番が回ってきた。私たちができることと言ったら、ライブでやっているように歌うことだけ。でもケヴィンが録ったものを流しながら、エンジニアのブースからガラス越しに私たちの反応を窺って（うかが）いたとき、私たち3人は半狂乱でお互いの顔を見合った。私たちは自分たちが好きなハードコアの音、女性によってプレイされる、自分たちが聞きたい音を創り出してきたが、そこでひどいジレンマに直面したことに気づいた。女性の音を出したかったのだが、こんな音が出したいわけじゃなかった。

ケヴィンに「止めて」と合図をしてこう言った。「私たちってこんな声なの？」

「こんなキーキーしてるの？」

「かん高すぎる」

「本当にこんな声？」　誰かがもう一度言った。

ケヴィンが自分のマイクのボタンを押すのが見える。

「そう、こんな声だよ」　トレードマークの笑顔を見せながらそう言った。

「こんな声はイヤだ」　誰かがマイクに向かって言った。

「自分の声が嫌い？」

「こんなのはイヤ」

私たちは共用のマイクに向かって、順番にどう感じたかを話していた。ヘッドフォンはオンになったままだったので、ケヴィンの声も聞こえた。

「こんなにキーキーしてるなんて」

ひどい矛盾のようだった。私たちは女性の声が出したいのに、でも金切り声は出したくないし、耳障りな声も出したくない。ケヴィンも優しく指摘してくれたが、女性に対する固定観念が私たちの感じ方を左右していたのももちろんわかっていた。でもレコーディングは終わらせないといけないので、ケヴィンにもう一度やらせてとお願いした。

「別のテイクを録りたい」　カリンがマイクに向かって言った。

特に相談したり考えることもなく、３人ともどうすればいいかはわかっていた。声域をひとつかふたつ下げて、『オール・イン・ザ・ファミリー』〔70年代に放送されたアメリカのシットコム〕のイーディス・バンカーみたいな声を出さずにコーラスを歌うことだ。

「Threatening, threatening, threatening!」

それ以降ライブでこの曲をやるときは、レコーディングと同じように声域を下げた声でコーラスを歌っていた、いつも少し後ろめたさを感じながら。

第6章

パンクロック・ドラマーの女性版フィル・コリンズ

私がドラムを叩き始めたとき、世の中にはドラマーに対する偏見がとてもたくさんあることとなどまったく知らなかった。そしてもちろん自分が「ドラムを叩く女性」という、とんでもない見世物になろうことなども！　もちろんバンドのヴォーカルは一番注目を浴びることや、ギタリストはかっこいいと思われるということは知っていたが、ドラマーはよく「のろまなバカ」だと言われ、ただビートを保つだけしか能がなく、あとは中身が空っぽだなんて思われていることはなぜだか知らなかった。私の知っていたドラマーたちはこの偏見には当てはまらなかったし、女性のドラマーになって、まさか自分がそう思われることになるとは想像もしなかった。

私がその「バカなドラマー」という偏見に初めて気づいたとき、Spitboy は Citizen Fish と一緒にイングランドにいた。どんよりしたある日の午後、Citizen Fish のドラムのトロッキーと私は、サウンドチェックの前にドラムセットを会場に運び入れていた。Amebix のドラマーだったスパイダーもそこにいて一緒におしゃべりしていたが、スパイダーがステージ横の大きな棚に貼ってあった貼り紙を指差した。そこにはこう書いてあった。「ミュージシャンはこの棚の前に物を置かないこと。ミュージシャンとは、ドラマーのあなたも含みます」

そのジョークを理解するのに、貼り紙を2、3回読み直さないといけなかった。「これはひどい」私はこの貼り紙をまったく面白いとは思えず、恥ずかしくなって笑うしかなかった。ただこの貼り紙の前でみんなで写真を撮ったら楽しいだろうなとは思ったので、カメラを近くにいた人に渡して写真を撮ってもらった。スパイダー、トロッキー、私の3人は、それぞれ「バカなドラマー」の顔をしているけど、バカなスパイダーが貼り紙の前に立っていて邪魔で文字がよく見えない。

＊　＊　＊

私が独学でドラムを覚えたのは15歳のとき、ギターに挫折したあとだ。友達のニコルとスージーと私の3人でバンドを始めようとしていた。3人とも楽器の弾き方を覚える前にバンド名をあれこれと考えたが、楽器を覚えるのにはしばらく時間がかかった。ただ時間がかかったおかげで、バンド名を“Combined Force”や“The Future”にせずに、あれこれ思い巡らした結果Bitch Fightにすることができてよかった。ニコルはベースが弾きたいと言い、私はギターを弾くつもりだった。だからクラッシュの曲が載ったスコアを持って、ギターのレッスンを受け始めた。「朝日のあたる家」ではなくて、自分の好きな曲を習いたかったから。ただ私のギターはどうしようもなく、おまけにティムというヒッピーのギターの先生も、私にクラッシュを教えるつもりはなかった。「最悪な曲ばっかりだな」アコースティックギターを持って私の隣に座りながら、ティムはそう言った。彼は60年代や70年代の幻想を今も追いかけているヒッピーが好きそうな、柔らかいスエードの帽子をかぶっていた。帽子のつばの部分には、編み込みの装飾やコインバックルがついていた。おそらくバッファアロー・コインだろう。

レッスンはソノラの小さな楽器屋で受けていた。母からの紹介でティムに教えてもらうことになったが、ティムは母のたくさんいるヒッピー友達の友達だった。私は文句も言わず、ただレッスン部屋のガラスの窓から外を見ていた。高速108号線を車が走っていく。

「もっとかっこいい曲を覚えたくないのか？」ティムは不満そうに言った。

「弾けるようになりたいだけなの」

面倒は起こしたくなかったし、もしティムが言うようにクラッシュの曲が簡単なら、家で自分で覚えればいいやと思った。

でも実際には、どの曲を覚えるのもとても大変だった。ティムは「ルイ・ルイ」や、もちろん「朝日のあたる家」の弾き方を教えてくれたが、パンクロックをやるのに必要なのはバレーコードだった。小学校から高校までフルートを吹いてきたが、バレーコードを弾くのにフルートはあまり役に立たなかった。バレーコードは手、指、関節の強さと器用さがかなり必要だ。ニコルはすぐに私よりうまくなったので、担当を変えることになり、その結果、スージーは楽器の経験がまったくなかったので引き続きヴォーカルをやり、ニコルはギターを弾き、そして私はドラムを覚えることになった。ギターを覚えなくてよくなり、どれだけほっとしたかは誰にも言わなかった。ただ母にはクリスマスにギターとアンプを買ってとねだり、両方とも買ってもらったのだが、今度はドラムをお願いしないといけない。

音楽鑑賞の授業のときに、音楽の先生、ウェルズ先生にドラムを自分で覚えることを話したら、先生は「フルート奏者はいいドラマーになる」と言ってくれた。理由は不明だ。ただなぜだかわからないが、自分でもドラムが叩けることはわかっていた。手足で同時にそれぞれ違う動作をして、違うタイミングで動かすことくらいできるだろう。そしてその確信は正しかった。音楽鑑賞の授業を数ヶ月受ける間に、ニコル、スージー、私は実際にバンドの練習を始め、最初はカバーを何曲かやって、すぐにオリジナルの曲を作り始めた。

私はドラムやドラマーに対して何か反感を持ったこともなかったし、バカな偏見を聞いたこともなかった。そしてドラムを叩くことの身体性が、私の性格に合っていた。元々ギターを選んだのは、自分はバンドのフロントパーソン向きだとうぬぼれていたからだ。でもどの楽器を担当するかよりも、とにかくバンドで音楽をやることの方がもっと重要だった。私の作る曲はコードが3つあれば十分だったから、曲作りを手伝うこともできた。Spitboyを始めるころには、私は十分経験を積んだドラマーでありソングライターだった。パンクロック・ドラマーの女性版フィル・コリンズというわけだ。ドラムを叩き、歌い、バンドの曲の半分の歌詞を書き、曲もいくつか作った。すごいことだと思う人もいるが、ドラムを叩きながら歌うこともできた。実際のところ、これはそんなに大変なことじゃない。なぜなら、自分で書いた曲であれば、ドラムを叩きながら歌うのがちょっと大変なときは、その部分は歌わなければいいだけだから。ただしパンクロックをドラムを叩きながら歌うことは、持久力と体力がかなり必要だ。それは大した問題ではなかったが、ドラムを叩くことで別の問題があった。私が単なるドラマーではなく、女性のドラマーだったから。女性のドラマーはまったく別の何かを要求される――忍耐だ。

「女の子なのにパワフルなドラムを叩くね」

この言葉は、ほとんどすべてのショウのあとに若い男から何度も聞かされた。この一言を聞くたびに、そいつの顔面を殴ってやりたくなった。でも殴る代わりに、おじぎをして去り、ただ一生懸命ドラムセットを片付けた。それを言う男たちの中には、女性がドラムを叩くことに単純に驚いていた人もいたし、口説き文句や会話のきっかけとして使う人たちもいた。私の男性の友人の中には、知り合う前は私のことを恐れていたと言う人もいる。こういった男性との厄介な会話が、私がなぜ他のSpitwomenほど他人と笑顔で付き合わないかの理由のひとつでもあり、いつも「私に干渉するんじゃない」という顔をおそらくしていた理由でもあった。ショウのあとに、男性からムカつく、おまけに多くはセクシストの発言を聞きたくなかったから、ひとりでいることも多かった。ツアー中には、ショウが始まる前は車の中で座っていることが多く、対バンの男性ハードコア・バンドにもあまり興味はなかったし、大音量の中で会話をしたいとも思わなかった。

最初のパンクバンドを高校生のときに始めたこともあり、Spitboyをやるころには、女性ミュージシャンに対する男たちのそういったセクシスト的な態度や、女性ドラマーに対する奇妙な執着にはいくらか慣れていた。小さな町で育ち、他にパンクの若者もあまりおらず、私たちと協力して活動するつもりもなく、自分たちのバンドをやろうとしたけど結局うまくいかなかったパンク少年たちは、「女に音楽はムリだ」と言ってきた。

「私たちが楽器ができないなんて、誰に向かって言ってるの？」あるパーティーで私はパンク少年のひとりにそう言った。その男にはこうも言った。「私は三年生から楽器をやってるんだけど」

結果的に、私たちの一番の支援者は、地元のメタルバンドの人たちだった。彼らは私たちの曲や度胸に感心していた。そのメタルの人たちの友人にまで私たちの話がまわり、パーティーに誘われて演奏した。メタルの人たちは私たちを口説いたり、私たちのやっている音楽を崇めるようなこともしなかった。単に私たちはクールだと、そう思っていただけだった。高校生の女の子たちがパンクロックをやって、オリジナルの曲までやっている。メタルのみんなは私のことを「シェイラ・E」と呼んで、まだ発展途上だった私のミュージシャンとしての能力を褒めてくれた。ドラムの叩き方を覚える前に、ドラマーへの先入観を知らずに済んだのはよかったのかもしれない。もし知っていたら、女性である自分は本当にドラムが叩けるのか、ただのドラマーなのに曲や詞を書いたりすることができるのかを疑い、自分の気持ちを押し殺すことになっていたかもしれない。だからあのメタル男たちが私たちを応援してくれたのは、とてもいいことだった。

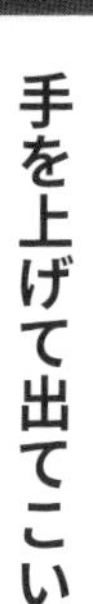

第7章

手を上げて出てこい

90年代、パンクバンドが労働許可証を取らずにカナダでライブをやろうとするときは、いちかばちかで行ってみるしかなかった。たとえバンドをやってそうな見た目で、バンの中にはアンプやギター、ドラムが積まれていても、カナダでライブをやってお金を稼ぐために入国するわけではないということを、国境警備隊に納得させる工夫が必要だった。Spitboyの最初のアメリカツアーは、ミシガン州くらいまでとにかく北へ行って、デトロイトやフリントでショウを行う予定を組んだが、どうせならカナダも行く？　ということになった。カナダでの最初のショウはトロントの予定だった。ちゃんと行けるのかな？

ツアーが始まってすでに数週間が経っていたの

で、物販はほとんど売れていたが、残りのTシャツ1箱と7インチ・レコード1箱がバンの後部のロフトの下に置いてあった。国境管理官がバンの中の機材を見て、続けてこの物販を見つけたら、私たちはショウで演奏をしてお金を稼ぐために、要は労働許可証も取らずに違法でライブをやるために来たんだと思われるだろう。これはある意味で、在住許可なくアメリカでお金を稼いでいるメキシコ人の違法性と似ている、当時はそんな関連はわからなかったけど。

カナダツアーの企画者は、ぜひトロントでライブをやってほしいと言ってきた。私たちがカナダでお金を稼ぐのではなく、ただお金を使いに来たんだと、疑われることなく国境管理官を納得させるには、何をするべきかも教えてくれた。カナダをツアーした他のバンドからもその話は聞いていた。フリントから国境へ移動しながら、国境の手前数マイルのところにあったガソリンスタンドに立ち寄って、私たちはその計画を実行した。車から降りて、バンの後ろを片付け、Tシャツの箱を取り出し、機材を積み替えてレコードの入った箱を隠した。レコードは隠す以外にどうすればいいのかわからない。もし何か聞かれたら、私たちはアメリカのバンドで、今はツアー中で、カリフォルニアに戻る前にバカンスでカナダにやって来た、と説明することにした。

おそらく若さゆえの楽観と無邪気さだったんだろうが、私たちは捕まることはないだろうと確信していたような気がする。もし物販が見つかっても、入国拒否に遭(あ)うだけだと高(たか)をくくっていた。ここまでのツアーで、ニューオリンズから出るときに警察とのいざこざを経験したが、それでもこの国境越えで大きなリスクを冒しているとはまったく思っていなかった。そのニューオリンズでの一件。ニューオリンズを出ようと高速道路の入り口を探していたら道に迷い、車をノロノロ走らせていると、スピーカーからの大きな声が聞こえ、止まるように命令してきた。その前にサイレンがウーウーと鳴っていたのが何回か聞こえたが、まさか自分たちのことだとは思わなかった。運転していたカリンがスピーカーの声に気づきスピードを落として車を停めた。私は助手席に乗っていた。もう少し先に行けば直線の道路で路肩に停める場所もあったのに、高速の入り口からそんなに遠くない、道がカーブしているところにガードレールに沿って車を停めさせられた。どういうわけか警官たちはかなり急いで私たちを止め、バンから出てくるように言った。

「手を上げて出てこい！」

「囲まれてるよ」カリンが運転席側の窓を見て、私たちの方を振り返って言い、また窓を見た。ポーラとエイドリアンは後ろの席で固まっている。

「手を上げて出てこい！」

その声で私たちは手を上げながら急いでバンから降りた。まるで映画みたいだ。バンは本当に警官に囲まれていた。4台の覆面パトカーと、SWATの防護服に身を包んだ警官も何人かいて、銃を抜いて私たちを半円状に囲んでいる。近くの高速道路を車が走る音が聞こえる。

「ここで何をやっている？」

私たちはどこにいるのかもわからなかったが、高速の入り口を探しながらこの寂れた地区をグルグルと回っていて、少し年のいった黒人の男性たちがベランダに座っているのを見たのを思い出した。何人かの警官は「麻薬捜査班」と書かれたベストを着ている。

そうとも、私たちみたいな薄汚れた格好の女の子がこんな地域でやることと言ったら、ドラッグだけだ。

「高速道路を探してたんです」カリンがとげのある声で言った。

「なぜウロついていた?」上官らしい男が怒鳴った。銃はこちらに向けたままだ。

「だから高速を探してたんです」私は怒って言った。

カリンと同じことを言う必要はあったんだろうか?

「そこには何が入っている?」上官がバンの後方を指した。

「楽器です」エイドリアンができるだけ協力的なトーンで言った。

「後ろのドアを開けなさい」

「はい、お巡りさん」エイドリアンがバンの後ろにゆっくりと慎重に歩いていく。ブーツが砂利と土をザクザクと踏みつける。

私はこんな捜索のやり方が合法なのか聞いてやりたかった。カリン、ポーラ、私は、急な動きを避け、背をガードレールに向け、手を上げながら道の端にじっと立っていた。エイドリアンが両開きのドアを開け、上官ともうひとりの警官が中を見た。他の警官たちはまだ私たちに銃口を向けたままだ。

「武器や密輸品はないか？」 バンの中の物を動かす前に上官が聞いた。

「いいえ、ありません。アンプとギターとドラムだけです。私たちはバンドをやってるんです」

エイドリアンが言った。「昨晩この町でライブをやったんです」

「なぜこの地区をウロついていた？」

その質問で私はイライラしてきた。

「さっき言ったでしょ。私たちはここの人間じゃない。高速を探してただけ」 上げていた手も横に下ろし、苛立ちを隠すこともできずに私は言った。

「生意気な口をきくんじゃない」

クソくらえと言ってやりたかった。

「高速の入り口はすぐそこだ」 上官は止められたときに私たちが向かっていた方向を指して言った。

「はい、わかってます。そこに向かっていたんですよ」 カリンが割り込んだ。

上官は他の警官たちを見てうなずき、彼らはようやく銃を下ろした。

「よし、きみたちもう行っていいよ」

警官全員が自分たちの車の方へ歩き出し、私たちはバンに乗り、囲んでいたパトカーが去るのを待った。ようやく高速に乗ってニューオリンズを離れることができる。できるだけ早く、でもスピード違反や違法行為は今やるとまずい。

私たちは警察にこんなふうに止められ、銃まで向けられたことが信じられなかった。しかしそんなことが起きたあとでも、物販をカナダにこっそり持ち込むことはやめなかった。持ち込むと言ってもただのTシャツとレコードだけ。ドラッグでもないし人でもないし、果物や非在来種の植物でもない。それに当時は9・11の前で、カナダには運転免許証だけで入国できた時代だ。私たちは全員アメリカ国籍だし、誰も大した問題だと思わなかった。

カナダ国境近くのガソリンスタンドで、物販持ち込み計画を決行。4人とも物販のTシャツを、小さいサイズから大きいサイズの順に、着られるだけ着た。自分の服の下にできるだけ多くのTシャツを着るのと、バッグの下の方に物販のTシャツとレコードを詰めて、その上に汚れた服を入れるというアイデアは、どちらかが私の発案だった。よくは覚えていないが、たぶんバッグに入れる方だったと思う。カリンと私はバンの中で着るゆったりしたドレスを持ってきていたので、重ね着したTシャツの上に着た。ポーラとエイドリアンはTシャツの上にパーカーを着た。これから思いっきり法を破るわけだが、あまり心配もせず、バンの外でひどく着ぶくれしたお互いの姿を指をさしてゲラゲラ笑いあった。夜だったので、多少着込んでいてもそんなに変には見えなかった。

　私たちはみんな異なった髪の色をしていて、若くて、バンに乗っていたから、国境で確実にチェックされることは織り込み済みだった。国境に来て車の列に並び、笑いも会話もやめて静かにして、着すぎたTシャツのせいで少し汗をかきながら尋問されるのを待っていた。私は後ろの席に座り、暗闇で気づかれないのを願っていた。私たちの番になり、IDを渡して、どこから来たか、どこへ行くのか質問されたあと、全員バンを降りるように言われた。国境管理官は青色の制服を着た男性と女性ひとりずつで、バンの後ろと横のドアを開けて中を見た。大量の楽器を見たあと、バンの後ろはあまり時間をかけて捜索されなかったが、中央はくまなくチェックされ、何も持っていないことを示すために開けたままにしておいたバッグの中も見られた。

　私たち4人はニューオリンズで麻薬捜査班に捕まったときのように、バンのそばに一列に立った。バンの中を照らす管理官の懐中電灯の光が見える。状況が深刻になっているのを感じたが、入国審査場の蛍光灯に照らされた私と3人のSpitwomenは捜索が終わるのを待ち、私は管理官がカバンを開けて、汚いブラジャーや血まみれの下着、ドロドロで汗臭い靴下や、こぼれ出た未使用タンポンを見つけないかなと妄想していたら、つい笑ってしまった。膝まである青いスカートをはいた女性の管理官は、「薄汚いアメリカ人め」と思っているんだろうな。バンに戻り、バッグのジッパーを閉めて、あの管理官たちは私たちのことを話してるのかなと考える。そこから車でカナダに入り、2回のライブをやって数百ドル分の物販を売った。私たちの女の策略と悪知恵は、誰かを誘惑することではなく、欺（あざむ）くことだった。

第8章

黙って演奏しろ

「きみたち本当によくなったよね」

Spitboy に対してコレを言うのが好きな人たちがいた。彼らは「よくなった」という言葉を使った。褒め言葉のつもりだったんだろう。

「演奏がまとまるようになったね」

私は毎回歯を食いしばった。

これまで、特に男が、バンドをやっている別の男に同じ言葉をかけているのは聞いたことがなかった。誰かがその言葉を Neurosis や Econochrist に言うだろうか？

ただ Spitboy がベイエリアの外でもっとよくかけられた言葉は、「黙って演奏しろ」だった。それを言うのは男性だけで、曲間に私たちの誰かが何かについて、たいていは歌詞について説明しているときに、男たちはそう怒鳴るのだった。ハードで速い音楽に自分たちのメッセージがかき消されないようにすることは、Spitboyにとってとても大事なことだった。ベイエリアの男性パンクスたちは、そんなことは言ってはいけないとわかっていたが、それでも私たちがどれだけよくなったかや、〝ガールズ・バンド〟が好きだということはよく言ってきた。

「黙って演奏しろ」という罵声(ばせい)は、普通はベイエリア以外の場所でしか聞かなかった。その言葉を聞いたあとにはいつもエイドリアンかカリンが、相手を尊重することについてレクチャーしたが、ニューメキシコ州でのあるショウにいた男は、その侮辱をパワーアップさせ、私たちを唖然とさせた。

南西部のみをまわっただけのSpitboy最初の短いツアー中、アルバカーキのあるガレージのショウでの出来事だった。そのガレージ付きの家を借りていたジェシーは、そこでよくショウを企画していた。ただSpitboyが出たそのショウは酒と暴力があふれていて、私たちは不安になった。ガレージは天井が低く、むき出しのパイプがたくさんついていた。もちろん聴衆はほとんど男性で、ステージの前で転げ回り、お互いを押し合い、私たちの言うこともまったく気にもかけなかった。2曲やり終えたところで、フロアにいた聴衆のひとりが鼻血を出していたので、エイドリアンが私たちを止めた。エイドリアンがその男に大丈夫かと聞いたら、男は怒って言った。

「ケンカなんかしてねえよ」男はそう叫び、顔をしたたり落ちる血を拭(ぬぐ)った。「演奏止めるなよ！」

男のシャツは血で真っ赤で、まだ鼻から血が流れ続けていた。

曲を再開すると、同じ男が缶ビールを片手にステージに上がり、エイドリアンに近づいてきた。缶は振ってあったんだろう、男が栓を開けた瞬間に、エイドリアンの顔にビールが勢いよくかかった。エイドリアンはどういうわけか演奏を止めることもなく、その男を殴りもしなかった。気が短い当時の私なら殴っていただろう。

私たちは演奏を続けたが、狂暴なモッシュは続き、1曲をやり終え、次の「Dysfunction」の途中までやったところで、ジェシーがショウを止めた。

「おいマジかよ」誰かが後ろから不満そうに大声をあげた。「早くやれよ」

エイドリアンが、みんなお互いのことやこの空間に対する思いやりがないから、演奏はしないともう一度告げる。

誰も動かなかった。どんな状況なのか、誰もわかっていない様子だった。

するとまた後ろの方から大声が聞こえた。

「おい、お前らの女らしさを見せたいなら、黙って股を開くか曲をやれ」

会場の全員がその声の方を向く。

「何だって？」私がマイクで聞いた。

「黙って股開くか、それが嫌なら曲をやれって言ってんだよ」

バンドの全員が動けなくなった。これまでにも私たちは乱暴な言葉をたくさん浴びせられ、モノ扱いされ、無視されてきた。それに対して私たちはユーモアを使ったり、言い返したり、説明したりして対処してきた。でもこの屈辱的な一言は、私の心に火をつけた。

私はスティックを放り投げた。

「誰が言った？ 今のは誰が言った？」 そう叫んで立ち上がり、聴衆の中に走って行き、怒鳴って腕を振り回した。

フロアの真ん中あたりまで行ったところで、後ろから誰かに抱きかかえられた。私を止めたのはPaxston Quiggly のギターのフィルで、逃げられないように強くかかえられた。

「クソ野郎！」 バカ男に向かって叫び、殴りかかろうとしたが、まだフィルに抱きかかえられたままだ。私たちはニューメキシコでのショウでPaxston Quiggly に何度か出くわしたが、Paxston Quiggly のメンバーのふたりはニューメキシコ出身で、ここには彼らの友人がたくさんいて、私たちも彼らと対バンするのは楽しいんじゃないかなと思っていた。

ベースのニール――私の元ボーイフレンドだが――もそこに来て、騒ぎの中、私の耳元に大声で言った。「トッド、やめた方がいい。忘れるんだ。あの男は危険な奴だ。フィルが言うには、テレビ番組の“America’s Most Wanted”（最重要指名手配）に出たらしい」

私はフィルの腕の中で気が抜けてしまったが、抱きかかえられ、争いをやめて、少し冷静さを取り戻した。私は手を伸ばしてニールの首に腕を回し、Spitboy と Paxston Quiggly の他のメンバーもそこに集まってきた。Paxston Quiggly のヴォーカルのブロンウィンとドラムのケヴィンも加わって、聴衆と私たちの間に入ってくれた。

ショウはもう終わりだった。

演奏を続けようとしても、おそらくもうできなかっただろう。みんな気力を失ってしまい、私はもう話すこともできなかったし、カリンは泣き出し、他のメンバーも一緒に泣き始めた。この騒ぎに巻き込まれたくないと立ち去る人たちや、心配そうな顔をして様子を見ている人たちもいた。

私たち全員が少し落ち着いてから、Spitboy を見るためにそのショウに来た人たちが寄ってきて、機材を片付けるのを手伝ってくれたり、Tシャツは買えるかと聞いてきた。その日はたぶん、ガレージでライブをしたことのあるどのバンドよりも多くTシャツを売ったんじゃないだろうか。

人が減ってから、ひとりの女性が近づいてきた。

「本当にごめんなさい」彼女は言った。

「ニューメキシコの全員があんな奴らじゃないと思ってくれるといいけど……」女性のボーイフレンドが続けてそう言った。

「そんなこと思わないよ」カリンが誰かからもらったティッシュで鼻を拭きながら答えた。

「これ」とその女性がポケットからお金の束を取り出して言った。

ボーイフレンドもポケットからお金を出して、ガールフレンドの手の上にあるお金の上に載せた。

「単なるお金だけど」彼女はそう言った。「これくらいしかできないけど、何かしたくて」

そこにいた他の誰かもお金を出して、カリンに手渡した。

「何かできることないかなと思って」その女性はそう言って、腕を伸ばし、カリンにハグをした。

妙ではあったが、素晴らしくて思いやりのある行動で、この出来事は私たちのショウでは珍しくもない、露骨なセクシズムや侮辱でヤジってくる連中に対しての対応を再考するきっかけになったのかもしれない。たとえその必要があったとしても、もう二度とこんなに怒りたくなかった。

そのあとでジェシーは私たちを呼んで、彼がアルバカーキで企画をしてきたこの6年間で、いつもショウに現れては面倒を起こし始める特定の男たちに対して、演奏を止めて立ち向かっていったバンドはいなかったと教えてくれた。Spitboy が最初だった。

でも私たちは「バカ女」や「クソアマ」と呼ばれることにうんざりしていた。モッシュピットで殴り合いが起きたときには私たちは演奏を止めたが、それだけでは十分ではなく、ハラスメントに対処するもっといい方法を見つけなければならなかった。

その何年かのち、カリフォルニア州フレズノのピザ屋でショウがあったとき、また別の嫌な男が私たちを焚(た)きつけてきたことがあったが、カリンのおかげで私たちはその挑発に乗ることはなかった。

ショウで客席から見えないヤジが聞こえたときには、カリンは曲について説明するようにしていた。

「あー、ゴタゴタうるせえ、早く演奏しろ」と、もちろん男性の声が、細長くて暗い会場の後ろの角の方から卑劣に聞こえた。

当時バンドに加わっていたドミニクがエイドリアンの顔を見た。

私は少し待って、スティックを上げて次の曲のカウントを始めようとした。時には曲そのものが答えになることもある。ただカリンは早かった。

「おい、あなたに必要なことは何か知ってる？」カリンはマイクに向かってそう言った。「図書館に行って本を読みなさい」

フロアから喝采(かっさい)の声が上がる。私がワン、ツー、スリー、フォーとカウントするときに、前列にいた女性たち数人の笑顔が見えた。あとで聞いたが、その一言を言った愚かな男は、その曲の最中に家に帰ったらしい。

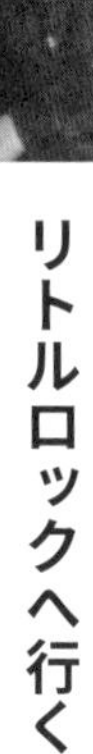

第9章

リトルロックへ行く

Spitboy が行ったショウの中で最も忘れられないもののひとつは、まるで映画のような夏の暴風雨の中、アーカンソー州リトルロックで Chino Horde と一緒にやった野外ライブだ。その日の演奏のことを鮮明に覚えているというよりも、その場にいたひとりとして、その時間を共有し、目撃者になったことの方が強く記憶に残っている。おまけに私はリトルロックで恋に落ちた（ツアーでそんなことが起きたのはこのときだけ）。でもここに書くのはその恋のことじゃない、もちろん関係はしているけど。

　その日の午後に川のそばでショウがある予定で、リトルロックへはその前日の朝早くか夜に着いた。Chino Horde のバート・タガーの素晴らしい家でゆっくりと過ごし、昔ながらの本当の南部のもてなしを受けたのを覚えている。バートの母は私たちにやさしくしてくれたが、私たちのいかにも車から降り立てのしわくちゃの見た目や、剃っていない脇毛のことを明らかによくは思っておらず、「シャワーはここと、あと玄関の先にもあるから」と急かしてきて、食事の前に部屋に下がってしまった。

ゆっくり休んで、ご飯も食べて、おしゃべりもして、その日の会場のアンフィシアター（半円形の劇場）に向かった。Chino Hordeと、たぶん他にもバンドが出るはずだった。すでに特別な日は始まっていたが、バートやその友人たちは、向かう途中に何か必要なものはないか心配してくれたり、私たちの面倒をよく見てくれた。リトルロックのシーンのキッズたちは、ツアーバンドに対してはいつもこんな感じなんだろうなと思ったが、私たちは女性だからさらに手厚い待遇を受けているんだとも感じた。でも「お嬢さん、私が面倒を見てあげますから」という偉そうな態度ではなく、優しくて人当たりのいい感じだった。おまけに80年代終盤にEconochristがベイエリアに引っ越してきてから生まれたと思われる、リトルロックとベイエリアの長く強い結びつきもあったが、このリトルロックのキッズたちは、Econochristのメンバーで言えば、ジョン・サムロール（楽しくて、ワイルドで、時々制御不能）よりも、ベン・サイズモア（静かで、考えて行動し、真面目）のタイプだった。ただベン・サイズモアに例えるのも必ずしも合っているわけではないけど。このキッズたちはまだ若くて、優しくて、ちゃんとしたパンクスだった。マッチョで脅迫的なところはまったくなかった。

屋根のついた大きなアンフィシアターに着いたときは、薄雲がかかった青空が見えていた。ツアーバンドはSpitboyだけだったので、その日の私たちの出番はトリだった。私たちは出順なんかいつでもよかった。特にこの美しい場所——ゆったりした川、ノースリトルロックへとつながる橋、まわりに広がる草地——ではなおさら順番なんて気にしなかった。これまで教会、エルクス慈善保護会の施設、地下室、オールエイジ（年齢制限なし）の小さなクラブ、倉庫などでショウをやってきたが、野外の劇場でやるのは初めてだったし、リトルロックでのショウも初めてだった。

ただ、見に来た人たちが会場に着き始めるころには、薄雲の空は曇り空へと変わり、Chino Hordeが始まるころには強い雨が降り始めた。バンドも見に来たパンクキッズたちも、屋根付きの大きなアンフィシアターの中にいたので雨に濡れることはなかった。Chino Hordeのことはここに来るまで見たことも聞いたこともなかったが、彼らの演奏が始まると私は見とれてしまった。ツアー中は、疲れや刺激を受け過ぎたりする度合いによって、出番前はときどきバンの中で座って本を読んでいることもあった。演奏前に緊張するタイプではなかったが、静かなところで集中力を高めるのが必要なときもあり、バンの中しか静かな場所がないこともあった。ただときどきは、Chino Hordeのようなバンドが元気を与えてくれ、そのあとに演奏するのが楽しみになるような刺激をくれて、またその時間を共有している感覚にさせてくれた。その日はまさにそう感じた日だった。雨が降っていても関係ない。雨によってバンドは激しさを増し、雷鳴や稲光がバンドのパフォーマンスを鼓舞した。

Chino Hordeのセットの最中、バート、スティーブ、ジェイソンがそれぞれマイクで歌っているときに、雨が横殴りになり、ステージの片側を濡らし始めた。私はカリン、エイドリアン、ポーラの顔を順に確認して、突然暗くなった空と降り注ぐ雨を見ていた。Chino Hordeや私たちが感電死しないか、みんな心配そうな顔をしていた。まるで母なる自然がステージ上でChino Hordeのエネルギーと調和しようとしているか、もしくはChino Hordeに「ついて来い」と要求しているかのようだった。Chino Hordeが曲をやるごとに雨は強まった。危険な雷嵐の中、こんな天候なんて大した問題じゃないという態度でバンドが演奏に没頭している姿は、これまで一度も見たことがなかった。そんなバンドを私はずっと見ていたかった。この天気、この音楽、若いパンクキッズが目の前で一心不乱に演奏している――そのすべてに息を呑んだ。

この凄まじい天候とChino Hordeの激しさにもう耐えられないと思ったとき、バートがこれが最後の曲だと告げ、同時に雨は弱まり、雲が裂けて陽の光が差し、空を明るくした。天の様子が突然変わり、陽が橋を輝かせ水面に反射する様子に、そこにいた人すべてが驚き、みんなそちらを見た。私はカリン、ポーラ、エイドリアンの姿を見て安心したが、こんなことが起きるのかと、今この目で目撃したすべてが信じられぬ思いだった。それからバート、スティーブ、ジェイソンは最後の音をかき鳴らし、デヴィッドがシンバルを叩いてセットを終わらせると、大空には輝く虹が広がっていた。

第10章

人種、階級、スピットボーイ

私の祖母のデリアは、私たちがやって来るのをまったく予想しておらず、短い髪はトロール人形みたいにボサボサで、眉毛も書かず、口紅もつけていなかった。でも日曜の夜で、祖母は75歳だし、家にいるはずだと思って突然訪ねてみた。

「ミーハ（可愛い孫娘）！」ドアを開けて私や他のSpitwomenを見た祖母は、困惑と驚きが半々の表情をしていた。私たちはほとんどが黒ずくめの格好で、レギンスの上に汚れたデニムの短パン、ブーツやどっしりしたドクターマーチンを履き、タトゥーも入った体に、色あせたタンクトップ姿だった。

Spitboyはそのとき、ロングビーチでの大きなフェスティバルなどLA周辺で連日ライブしていて、私たちはその帰り、ベイエリアに戻る途中だった。私はイーストＬＡに住む祖母デリアの家にどうしても立ち寄りたくなったのと、あとSpitwomenに彼女に会ってもらいたかった。タフなばあさんで、訛(なま)りが強く、英語とスペイン語で悪態をつく、アメリカ生まれのアメリカ育ち。それが私の祖母で、彼女の両親はメキシコ革命のさなかの１９１８年にアメリカにやってきた。自分流にアメリカ人であることを誇りに思い、でも文化的にはメキシコ人で、「指図するな。自分のことは自分で決める」という祖母だが、彼女もずっとフェミニストだった。

玄関口で祖母に強くハグして、私たちはこのあたりでバンドの演奏をやってきて、今はその帰りだということを説明した。祖母の家はリンカーン・ハイツの高速道路を降りてすぐのところにあった。ワークマン・ストリートに入ると、自分が生まれたロサンゼルス郡立病院を指差し、ここがイーストＬＡで、私の家族の地元だと３人に説明した。

「何か作ろうか？」

「いいよ、おばあちゃん。長くはいられないから。みんなに会わせたかっただけ」

「さあ入って、入って」祖母はみんなを迎え入れようと、ドアを大きく開けた。「中にも入れずにごめんなさいね」

Spitwomenは柄にもなく静かにベランダにつっ立っていた。普段はどこでも自分から笑顔で自己紹介するエイドリアンですら黙っていた。家の中に入り、誰かが重い鉄のドアを閉めた。カリンは部屋の中をじろじろと見ている。カリンの目は部屋に飾ってあるものを順に追いかけ、本当にたくさんの飾り物や写真、壁掛けがこの小さなリビング・ダイニングにあることに私も気がついた。その中のひとつには、「家庭とは、痒いところを掻くことができる場所である」と書かれている。フェイクレザーのズボンをはいたエイドリアンは両手を前で握りしめて立っていて、ポーラはやさしく微笑んでいる。

「おばあちゃん、彼女がカリン」私はカリンを指差した。「カリンはギターを弾くの。それでこっちがヴォーカルのエイドリアンで、ポーラはベース担当」

「よろしくね。どうぞ座って」3人はコーヒーテーブルとソファーの間に並んで立ったままだったので、祖母はそう言った。

祖母は他に何を言えばいいのかわからないようだった。

3人はソファーに座った。カリンはソファーの端に座り、その頭の近くのマクラメ編みのプラントハンガーからは、スパティフィラムの葉があふれ出ていた。カリンの表情は、これまでショウに行く道中、何度か私の家族について聞いてきたときと同じだった。それは私の家族についての会話、というよりは、たくさんの質問だった。

「トッドは弟とも妹とも父親が違うんでしょ？」

「そう、みんな違う父親」なぜこれを聞かれたかは覚えていないが、カリンはそう質問し、私はそう答えた。不快だった。カリン、ポーラ、エイドリアンの両親は、全員が幸せというわけではないのかもしれないが、離婚もしていなくて、特にカリンの両親はとてもすてきな人たちで、心身ともに健康で、家にはアウディと通勤用の車があって、歯は真っ直ぐで、カッとならないタイプの家族だ。

「じゃあみんな姓が違うの?」 カリンは眉間にしわを寄せた。

私は母を擁護した方がいいと思い、母は高校生のときに私を身ごもって、でも私の父親から暴力を受けていたから、私が生後8ヶ月のときに離婚したことを説明した。Spitboyには家庭内暴力についての曲もあったから、これはカリンも理解してくれるだろうと思った。

「母はそのあとに私の弟の父親と一緒になったの。彼は母が私の父と離婚するのを助けてくれた。でもふたりは籍も入れずに、一緒にいたのは数年だけだった。そのあとに私の妹の父親と再婚して、妹が生まれた」

「結婚はまったくいいことではない」と私たちは考えていたこともあり、そのあと母は妹の父親と離婚して、それ以来再婚せず、もう一生結婚しないと誓ったこともつけ足した。

祖母は、彼女が呼ぶところのジョガー(ジャージ)と色あせた猫のセーターを着ていた。誰も何も話すことがなさそうだったから、私は祖母とおしゃべりしようと彼女についてキッチンへ行った。祖母は暖かくなるといつもハウスドレスを着ていた。

「おばあちゃん、元気だった？」キッチンに入ってそう聞いた。

「元気よ。毎日老けていってるけどね」指で髪をとかしながら、祖母はそう言って笑った。祖母の爪はマニキュアを塗ったばかりで、真っ赤できれいな楕円形をしていた。

祖母は私に水を入れたコップをふたつ手渡した。ひとつは縦線の入ったガラスのコップで、もうひとつは粉ジュースが冷たく飲めるような、さまざまな色がセットになった70年代製っぽいホーローのコップだ。

祖母と私が水の入ったコップを持って戻っても、Spitwomenはまだ静かに座ったままだった。カリンはすました顔で相変わらず部屋を見回していた。短い髪をいつもポニーテールに結(ゆ)っていたポーラは、何を話そうかと思いを巡らせているようだった。エイドリアンは膝の上に腕を組んで座っている。

「ミーハ、座って」祖母は作りかけの刺繍が入ったカゴの隣にある椅子を指した。メキシコ人の女性が水差しを肩にかついでいるデザインの刺繍だった。

私はその椅子に座り、Spitwomenはひと口水を飲み、何も言わずにコップをコーヒーテーブルの上に戻した。みんながこんなに静かだったことはこれまで一度もなかった。どうすればいいのか私にもわからなかった。祖母は私の心配を悟って、この気の詰まる静けさを埋めようとした。

「みなさん疲れてるでしょ。長いこと運転して」

みんなうなずいた。

「あそこに写真があるでしょ」 そう言ってドアの横にある黒い鉄の棚を指差した。「ミシェルの母と父が高校生のときよ」

祖母が私のことを「ミシェル」と呼んだので、私は顔をしかめた。誰も私のことはそう呼ばない。みんな「トッド」としか呼ばないのだ。

「ダンスパーティーのときね。あなたのお母さんは可愛いわ、そう思わない?」

母の髪型は60年代後半のビーハイブ・ヘアで、16か17歳にしては老けてるといつも思っていた。父は背が低く、黒い肌に濃い黒の髪で、当時『ローズマリーの赤ちゃん』のミア・ファローのように短くしていた私の髪型だと、私は父に似ていた。

私は祖母に向かってうなずき笑ったが、なんだか悲しかった。相変わらず何を言えばいいのかわからなかったし、雰囲気は悪くなっていた。

祖母のところに立ち寄らなければよかった。5号線から降りるべきじゃなかった。世界で二番目にメキシコ人が多い街に寄ろうなんて言わなければよかった。私のせいでみんな気まずい思いをしている。私は体の外に出た感覚になり、大好きな祖母と、いつもきれいで居心地のいいこのイーストLAの古びた家や、家に飾ってある小物――他の3人は別の呼び方をするかもしれない

――、そして祖母のメキシコ系の家族の写真を、別の目で見ていた。とても嫌な感覚だった。

LAを離れ、グレイプバインを越えて5号線を走るバンの中で、私たちはあまり言葉をかわさなかった。話すことはいくらでもあったのに、私は言葉を、そしてその言葉を口にする勇気を、心の中で探していたのだろう。当時の私には、いや、その後長い間、その言葉も勇気も見つけられなかった。しかしこの感覚は、まるでひどく痛む腫瘍のように私の中で悪化し続けた。大きくなり、もうそこにないふりができなくなるまで、ずっと悪化し続けた。

第11章

スピットボーイのルール

Spitboyにはひとつルールがあった。「ツアーにはボーイフレンドを連れてこないこと」いいルールだったが、そのルールを回避する方法があるということが、やがて露呈した。

Spitboyの最初のツアーには、メンバー以外に誰も連れて行かなかった。ボーイフレンドも友達も一切誰も。それは間違いだったかもしれないが、でも私たちは、すべてを自分たちだけでできることを証明したかった。自分たちで曲を書き、自分たちの楽器を使い、自分たちで運転して紙の地図を見ながら高速を走り、自分たちの機材を自分たちで下ろし、タイヤも自分たちで交換する（しかも数分で）。ベースのポーラはバンが壊れたときにはバンを直すことまでした。モンタナ州のミズーラで車が故障し、ポーラは何時間もエンジンに頭を突っ込み、顔からそばかすのある肩のタトゥーまで油まみれになって修理した。私はバンの中に座って、疲れて嫌になるまではポーラに道具を手渡したりして手伝っていたが（エンジンにはバンの中からしか触れなかった）、ポーラはどうして機嫌が悪いのかよくわからずにいた。でもやがてこう思った。いつもショウで自分たちのセットが終わり、次のバンドのために場所を空けようと私がドラムセットを片付けているときに、他の3人は寄ってきた若い女性たちに、Spitboyがどれだけ大切なバンドかと褒められ、いい気でいて、それを見て私が気分を悪くするのと同じように、そのときのポーラも機嫌を損ねていたんだろうと。

ポーラの父は、ポーラが車に興味を持ったときに車のあれこれを教えてくれたらしい。おかげで私たちはアメリカ中を行き来でき、ショウや物販で得た雀の涙ほどのお金を車の修理に使ったのは、たったの2回だけだった。ただワイオミングではどうしようもなく、青いバンを修理に出すしかなかった。どういうわけかワイオミングに行くといつもバンが故障した。ワイオミングはSpitboyのバミューダ・トライアングルだった。

バンドの最初のツアーで、ローディーなし、バンドメンバー以外に運転してくれる人なしで、自分たちだけでやるというのは大変だったが、でも「自分たちでできる」ということを知るのが重要だった。Spitboyはメンバー全員が女性の、真っ直ぐなハードコアをやるパンクバンドで、シーンでも数少ない存在だった。そこにはポップさ、リバーブ、女性らしいハーモニーなどはなく、あるのはかっちりしたパワーコード、ブリブリしたベースライン、速いドラムのビート、それにエイドリアンのハイピッチなうなり声だけ。また、ツアーのときだけでなく普段からたくさんの時間を一緒に過ごすと、みんなの月経周期がシンクロすることがよくあった。全員の生理が同じ日かその前後数日のうちに一斉に始まるのだ。ノースダコタ州のマイノットでショウがあった日、私たちは遅刻し、最初のバンドが始まる直前に会場に着いた。おかげでそのショウの企画者をとても心配させてしまった。そのときは4人中3人が生理中で、シカゴかどこかから向かう長い道中、20分か30分おきに道沿いのガソリンスタンドの汚いトイレに立ち寄らないといけなかった。心配させた企画者に謝り、その男性に正直に理由を話した——私たち4人のうち3人が生理中で、何回もトイレに寄らなければならなかったと。彼はそれ以上話を聞く必要もなかった。「別に大丈夫だよ」と言い、小さな男の子みたいに手を左右に振った。おそらくそれまでそんな遅刻の言い訳をするバンドはいなかったんだろう。誰か運転してくれる人を連れてくれれば、もっと楽な話だったのかもしれない。ひどい生理痛に苦しんでいるときは、私は安定した有能なドライバーではなかった。

次の町へ、ときには次の州へ向かうときの夜中の長い運転は、ローディーなしだと最悪だ。翌日、翌々日のショウに間に合わせるために、その日のショウが終わってすぐに夜通しのドライブに出発しないといけないときが何度もあった。次の目的地には午前中に着くことが多かったが、着いてもどこにも行くところがないので、どこか車を安全に停められる場所を探して、バンの中で寝るしかない。誰かもうひとり運転できる人に同行してもらうのは、賢くて安全な方法だっただろう。でも私たちの方法は、4人のうちの誰かが運転し、ひとりは助手席で運転手を眠らないようにするのと、道案内の役割も一緒にやること。その間に残りのふたりがバンの後方に作られたロフトのマットレスの上で寝袋にくるまって寝る。私には4時間くらいの浅い眠りのあとで、そこらのガソリンスタンドに入ってアメリカで一番まずいコーヒーと水を買って、カフェインの錠剤を流し込み、また運転を続けるという才能があった。再び高速に戻ったら、適当に聞きたいCDを聞きながら静かに歌い、変なところに置いてある道路工事のコーンや路面の穴、野生動物や警官に気をつける。運転自体はあまり苦ではなかった。問題だったのは、4時間ぶっ続けで運転してヘトヘトの状態で、朝になって太陽が昇り他のメンバーも次々に起きる中で、自分だけが眠りにつくのは難しいことだった。

「ツアーにボーイフレンドを連れてこない」ルールは、1993年のヨーロッパツアーでは消えてなくなった。そのツアーにはたくさんのお供を連れていくしかなかった。まず、メンバーの誰も海外で運転できる免許を持っていなかったので、運転手を雇わないといけなかった。そのときポーラは、パンクシーンで最高かつ最も有名なローディー、ピート・ザ・ローディーと付き合っていたので、彼には来てもらうことにした。そしてカリンがいつも好意を寄せていたBorn Againstのドラマーのジョン・ヒルツも、物販を手伝ってもらうということで一緒に来た。このヨーロッパツアーでは、理由つきで「ツアーにボーイフレンドを連れてこない」ルールが破られることとなったが、一方でそのルール自体はさらに意味を増した。長い移動中、ポーラはピートと、カリンはジョンと暗闇でイチャイチャしていて、バンドのまとまりが少しなくなったように感じた。男性が状況を変えたのだ。メンバーのうちに、専用の誰かがいるタイプの人間と、いないタイプが混在することになった。私はいないタイプ。エイドリアンもいないタイプだ。

ヨーロッパツアーのボーイフレンドたちはバンド内のダイナミクスを見事に変えたが、Spitboyの毎晩のステージを変えることはなかった。Spitboyのパフォーマンスや、メンバー間の結びつき、また聴衆との結びつきについて、私たちはよく感想を耳にした。Spitboyはメンバー全員が歌詞を書くことが影響していたのかもしれない。エイドリアンは常にリードヴォーカルだったが、私が書いた曲をやるときには私も一緒に歌った。このある種のコラボレーションは、カリン、ポーラ、のちにはドミニクが書いた曲でも同じように起こった。ジョン・ヒルツはSpitboyのことを、これまで彼が見てきたバンドの中で、最もポジティブで、お互いに支え合っているバンドだと言った。ジョンは自分のバンドでストレスに満ちた経験をしてきたようだったが、ツアー時に、居心地のいい家から遠く離れ、長時間の車移動のストレスや疲労、常に互いに密接する環境の中、他の人たちと一緒に過ごすのは、とても大変なことだというのは私にもわかった。ただツアー中だからといって他のメンバーに甘えないようにしたり、地元にいるときには気づかないクセを受け入れようとすることは、Spitboy のメンバーにとってはどういうわけか当然のことだった。ポーラは時々機嫌が悪くなったし、カリンは自分の要求を満たすのが上手だったし、私はよそよそしくて、でも同時にメンバーに依存していたし、そしてエイドリアンは知らない人とでも仲良くするのが好きで、そのせいで機材の片付けや物販を売るなどのバンドの仕事をやらないこともあった。こういった各人のクセを受け入れるのは、当たり前のこと、正しいことで、それが Spitboy のパフォーマンスに影響することは決してなかった。その一方で、もしバンドをやることが結婚のようなものだとしたら（私はそうだと確信しているけど）、ライブをやることはセックスすることで、そう思うとライブはやりやすくなる。ライブをやること自体が〝ご褒美（ほうび）〟というわけだ。セックスのフリをすることもできたが、Spitboy は決してそうはしなかった。私たちは本当にお互いのことが好きだったし、お互いをさまざまな点で認め合っていた。

カリンは私たちのフランスでの最初のショウで称賛（しょうさん）の的になった。Citizen Fish とツアー中、フェリーで着いたばかりのその日のショウはみんな調子が悪かったが、セットの途中でそれは起きた。ある男が客席から、〝Enlevez vos chemises!〟というようなことを叫び出した。「シャツを脱げ！」という意味だ。その男がそう叫んですぐ、前の方にいた女性が大きく手を振り、英語で私たちにその意味を教えてくれた。でもカリン（大学でフランス語を学んだのでペラペラ）はすでにその言葉を理解していた。次の曲を始める前に、カリンは自分のマイクに近づき、落ち着いて、ほとんどしなやかに、その男を男の話す言語で叱った。一瞬の間、空間はまったくの静寂に包まれたが、次の瞬間、喝采や笑いが一気に、特にそこにいた女性たちから吹き出た。あんなことが起きるとは誰も予想していなかったんだろう。

私たちは、それぞれができることやその能力を互いに認め合った。そもそもはそれが「ツアーにボーイフレンドを連れてこない」ルールを作った理由だった。この信頼関係が崩れてしまうことで、私たちの関係性が変わったり、邪魔をされたりするのは嫌だった。最初のアメリカツアーが終わって以降、そのボーイフレンド・ルールを完ぺきに守ることはなかったけれど、このルールは私たちの心の奥にいつも存在し、人のクセに怒ったりしないこと、互いに協力すること、ツアーで行く先々を最大限楽しむことを、忘れさせないようにしてくれた。ヨーロッパツアーでは、毎日違う国にいることもあった。ローマでは500人を前にライブをやり、プラハの不気味で美しいカレル橋を渡り、日没後のバルセロナのガウディ博物館を見上げ、イタリアのトスカーナのオリーブ農場を見渡しながら、レンガのピザ窯で焼いたピザを食べた。こういった日々には、自分は孤独だとか、バンドのみんなとはなればなれになったと感じたことは一度もなかったし、現実に、私はひとりではなかった。

Citizen Fish のステージで歌うエイドリアン。
1994 年、ニューヨークの〈ABC No Rio〉にて
（写真：クリス・ボーツ・ラーソン）

著者。1992 年、シカゴの〈McGregor's〉にて
（写真：キャロライン・コリンズ）

1992 年、アメリカツアー

1994年、アメリカツアー
（写真：デイヴィッド・サイン）

1994年、アメリカツアー
（写真：デイヴィッド・サイン）

1992年ごろ、ケヴィン・アーミーとのレコーディング。
Olde West Studios にて（写真：ジョン・ライオンズ）

アメリカツアー
（写真：デイヴィッド・サイン）

エイドリアン。Olde West Studios にて
（写真：ジョン・ライオンズ）

カリンとギター
（写真：ジョン・ライオンズ）

カリン、ケヴィン・アーミー、ポーラ。スタジオにて
（写真：ジョン・ライオンズ）

1992 年、モンタナ大学にて

1991 年、アリゾナ

〈924 ギルマン〉にて
（写真：ジョン・ライオンズ）

著者とブタ。イタリアにて

Spitboy と
Citizen Fish のフィル
（写真：ジョン・ヒルツ）

spitboy
hardcore
Tomassini Lenzburg
17. April 21 Uhr Fr. 10.-

ANTWERP
PUNK-ROCK
FESTIVAL '93
Met :
VOID SECTION
DRITTE WAHL (DDR)
SPITBOY (USA)
INSTIGATORS (UK)
JASON RAWHEAD
DIRT UK
ZONDAG 2 MEI 1993
HOF TER LO A'PEN
café TSJAPLIN
Noordersingel 28, Borgerhout
Deuren : 14.00 h.
VVK ADRESSEN:
Brabo, Metrophone (a'pen)
Music Mania (Gent)

イギリスの地方にて

著者。バッキンガム宮殿にて

Producciones ZAMBOMBO presenta:
FESTIVAL-HOMENAJE A RAFAELA APARICIO
Con 2 grupos de chicas:

SPITBOY ,Punk-rock,San Francisco,USA
LA NUBE ,Las L7 Zaragozanas

Jueves 8 Abril , 20 pm. SALA-BAR PIRAMYS

I N V I T A C I O N

.......SPITTOUR........

MARCH 27 ARRIVE HEATHROW: 12:30PM
"FISHBOY PART OF TOUR"
28 BRISTOL: "FLEECE & FIRKIN"
29 MANCHESTER: "BAND ON THE WALL"
30 LEEDS: "DUCHESS OF YORK"
31 SUNDERLAND: "RIVER WEAR"
APRIL 1 WIGAN
2 KIDDERMINSTER: "MARKET TAVERN"
3 BERKHAMPSTEAD: "GOING UNDERGROUND"
4 LONDON: "THE SWAN
5 FERRY TO CALAIS, FRANCE (5AM DEPARTURE)
SHOW @ SUBURB OUTSIDE PARIS
6 TOULOUSE, FRANCE
CONTACT: ARNO HUFTIER (#3320470031)
7 LLODIO, ALAVA (BASQUE,SPAIN)
SHOW @ "COLLECTIVO TXIXARRA"
CONTACT: ARNESTO NAVARRO
P.O. BOX 153
LLODIO, ALAVA
SPAIN 01400 (#3446723930)
8 BASQUE, SPAIN
SHOW: PARTY
(SAME CONTACT AS #7)
9 BARCELONA, SPAIN
SHOW @ "COMMUNICADO"
CONTACT: JOSE-ANTONIO (#3476217437)
10 LYON, FRANCE
SHOW @ SQUAT
CONTACT: MAIE/ERIC (#3378305152)
23 PIACE TAFIN (#3378305728)
59300 VALINCINNAS, FRANCE
11 MILANO, ITALY
SHOW @ "CSOA LEONCAVALLO"
VIA LEONCAVALLO
22 MILANO, ITALY (#02/26140287) DANIELE/FRANCO
12 FAENZA, ITALY
SHOW @ "IL CLANDESTINO"
VIALE BACCARINI
21/a FAENZE, ITALY (#0546/681327) MORENA
13 ROMA, ITALY
SHOW @ "CSOA FORTE PRENESTINO"
VIA F. DEL PINO
21 ROMA, ITALY (#06/896541) CARMELO
14 NO SHOW....DRIVE FROM HELL OVER THE ALPS^^^^^^
15 ZURICH, SWITZERLAND
16 BADDURKHEIN, GERMANY
SHOW @ "HOUSE DE UNIDIN" (YOUTH CENTER)
CONTACT: CORY FOR GIGS APRIL 15-28 (#49621559742) OR (#49621553707)
17 NAGOLD, GERMANY
SHOW @ YOUTH CENTER
18 ESCH-ACETTE, LUXEMBURG
SHOW @ SQUAT?? (POSSIBLY ELSEWHERE IS SQUAT CLOSES)
19 FRANKFURT, GERMANY
SHOW @ "BOCKDENHEIM" (YOUTH CENTER)
20 PRAHA, CHEZ.
SHOW @ YOUTH CENTER (YES, A HELLISH DRIVE TO & FRO)
21 ESSEN, GERMANY
SHOW @ "OVERHAUSEN"
22 BERLIN, GERMANY
SHOW @ "S.E.K." (IN FRIEDRICHSHAIN)
23 WOLFSBURG, GERMANY
SHOW @ YOUTH CENTER
24 BREMEN, GERMANY
SHOW @ "WIERSCHLOSS"
CONTACT: CHANGE MUSIC (#9421702342)
SIELPFAD 11
2800 BREMEN 1, GERMANY
25 HANNOVER, GERMANY
SHOW @ "KORN"
26 ALBURG, GERMANY
SHOW @ "1.000 SIYD"
27 HAMBURG, GERMANY
SHOW @ "THE FLORA SQUAT"
28 GOTTINGEN, GERMANY
SHOW @ YOUTH CENTER
29 AMSTERDAM, HOLLAND
SHOW @ (HOPEFULLY) A SQUAT
30 ZUTPHEN, HOLLAND
SHOW @ "THE DEBARIK" (YOUTH CENTER)
MAY 1 YPRES, BELGIUM
SHOW @ "VORT-N-VIS" (HUGE ALL DAY FESTIVAL)
BRUNO (#3291336862)/(#3257334800)
2 ANTWERPEN, BELGIUM
SHOW @ HUGE FESTIVAL/ ALL DAY
HERWIN (#32036468032)

Paula/Pete
25 B GEORGE ST.
WARMINSTER
WILTSHIRE-WESSEX

Spitboy とロス・ガーディナー。1995 年、ニュージーランドにて
（写真：キャロライン・コリンズ）

ロス・ガーディナーと Spitboy の壁。1995 年、ニュージーランドにて
（写真：キャロライン・コリンズ）

Spitboy とクリント・チャップマン。1995 年、シドニーにて
（写真：キャロライン・コリンズ）

Spitboy とコアラ。1995 年、オーストラリアにて
（写真：キャロライン・コリンズ）

ドミニク、著者と、パンクロック・コアラ
（写真：キャロライン・コリンズ）

未来の Instant Girl。1995 年、シドニー・オペラハウスにて
（写真：キャロライン・コリンズ）

パシフィック・リム・ツアー、1995 年
（写真：キャロライン・コリンズ）

日本にて
（写真：キャロライン・コリンズ）

著者、1995 年、日本にて
（写真：キャロライン・コリンズ）

日本にて

Spitboy と日本のクルー、1995 年
（写真：キャロライン・コリンズ）

著者と An Apology Nature Arise のドラマー。1995 年、日本にて
（写真：キャロライン・コリンズ）

SPITBOY
Buzzoven (NC)
GRIMPLE
SLEEP
less miserables
8 pm
Sat, Oct. 17
$5-
membership card
($2/year)
At 924 Gilman St.
Berkeley 525-9926. take the 9 bus from Berk. BART
all ages, no drugs/alcohol

tuesday june 2
powerful thoughts and ideas, incredible music, a show ya don't want to miss...
SPITBOY
they're gonna be gone all summer...
DEMISE
sixteen days 'til tour...
NAKED AGGRESSION
mark your calendar...
june 6 punk picnic at mckinley marina in milwaukee, starts 'round noon
and features a grudge match between kambrick and milt.
june 25 bratmobile, heavens to betsy, business as usual
july 18 all you can eat, vex, trademark, sand
august 11 econochrist, demise, business as usual
fanggangmoldybasement...626 e.johnson...7pm...$3donation...madison

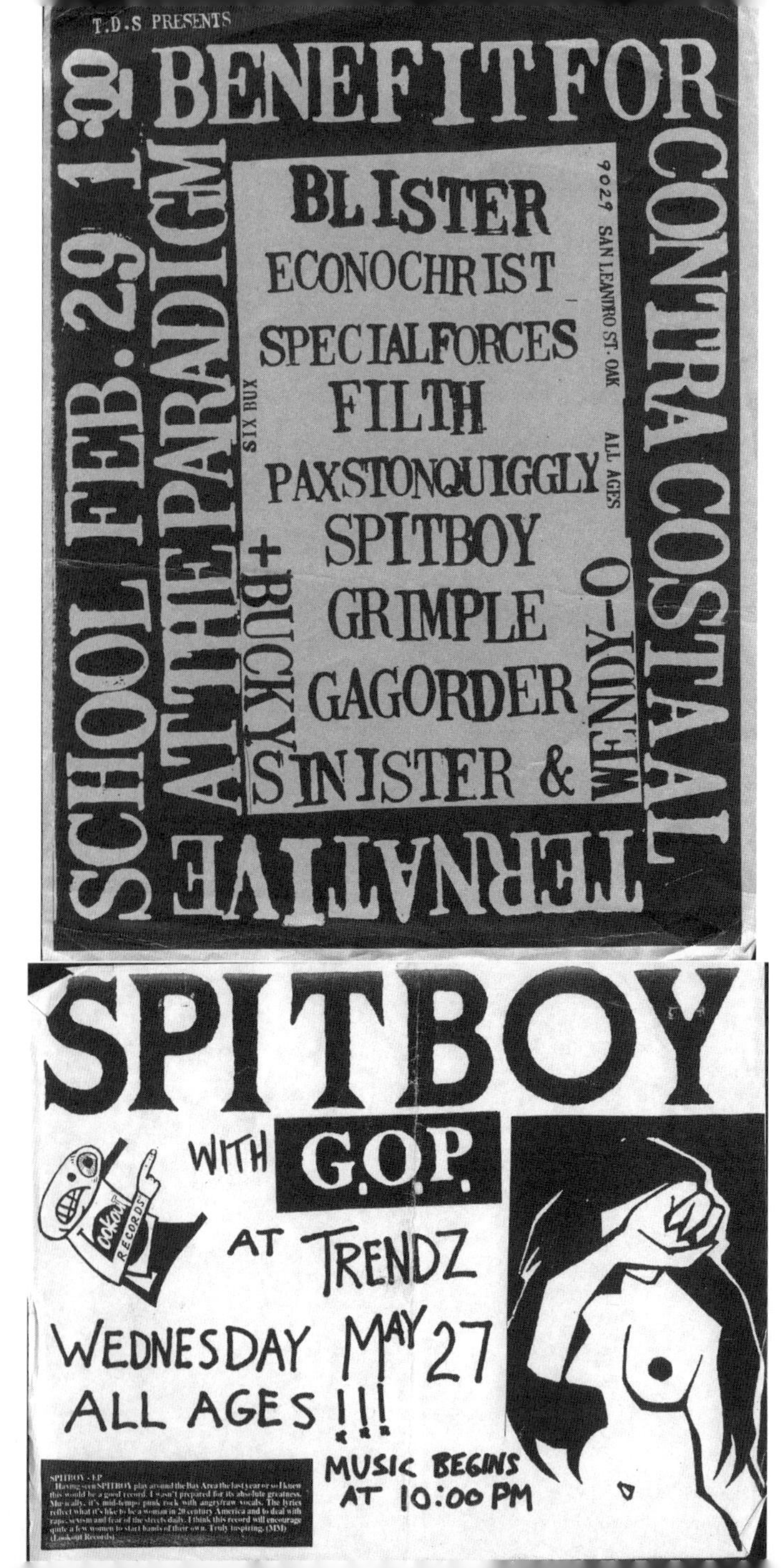
T.D.S PRESENTS
BENEFIT FOR CONTRA COSTA ALTERNATIVE SCHOOL
FEB. 29 1:00
AT THE PARADIGM
BLISTER
ECONOCHRIST
SPECIALFORCES
FILTH
PAXSTONQUIGGLY
SPITBOY
GRIMPLE
GAGORDER
SINISTER &
WENDY O-
+ BUCKYS
SIX BUX
9029 SAN LEANDRO ST. OAK
ALL AGES
SPITBOY
WITH G.O.P.
LOOKOUT RECORDS
AT TRENDZ
WEDNESDAY MAY 27
ALL AGES !!!
MUSIC BEGINS AT 10:00 PM
SPITBOY - EP
Having seen SPITBOY play around the Bay Area the last year or so I knew this would be a good record. I wasn't prepared for its absolute greatness. Musically, it's mid-tempo punk rock with angry/raw vocals. The lyrics reflect what it's like to be a woman in 20 century America and to deal with rape, sexism and fear of the streets daily. I think this record will encourage quite a few women to start bands of their own. Truly inspiring. (MM)
(Lookout Records)

SPITBOY
She is alone, isolated, with no companions and no one to talk to on an island she has taken as her home. Her feelings of aloneness and loneliness are overwhelming, and she begins to cry. Out of her come tears, saliva, snot, mucus, sweat - natural body fluids. Ashamed by what her body has produced and by her state of helplessness, she tries to hide these elements by burying them. She looks imploringly to her gods, who tell her not to be disgusted by the natural secretions of the body. They explain to her the innate beauty of her body's workings and that these fluids are part of her and part of her existence. With the newfound power that comes out of a belief in her body's creations, she is no longer ashamed by what she alone has made. She proudly saves these elements, and out of them life is created in the form of a boy.
Douches. Deodorant. Scented sanitary products. Perfume. Conforming to the cultural laws of cleanliness, we are taught to be ashamed and self-conscious of our body's makings. We try, through our humiliation, to hide the smell, taste and sight of what our body naturally produces. Our secretions - menstrual blood, sweat, mucus, vaginal discharge, saliva and tears - are natural processes the body needs to survive. In our Western culture, they are considered somewhat taboo. Yet in other cultures, a woman's body and its functions are more openly accepted, in some even to the point of being sacred. And just as our culture focuses on man (Adam) as the genesis of creation, some place more importance on the woman's role in the creation of life.
The above legend depicts a celebration and an acceptance of a woman's body. Cultures that aren't as material- and consumer-oriented tend to feel good about the beauty and natural features of their people and their environment. It's nature vs. fabrication, being yourself vs. buying into someone else's image of what you should be.
This story is the Eskimo legend of Copper Woman. The boy that is formed is the Spitboy.
with
CHOKE 66
second SITE
at the capitol theatre, flint
just $4
sunday june 7th 5pm-10pm
special sunday matinee
enter through the alley
call 232-info for details

Spitboy
plus
starpower
+
MUSH MOUTH
APRIL 21 TWENTY FIRST
AT THE CAPITAL THEATRE 9 PM
5 DOLLARS
OKAY

Fishか Fugaziか

　1993年の春、Spitboyが海外をツアーしていたとき、Fugaziからベイエリアでのショウに誘われた。カリンがツアー先から家に電話したときに、その誘いの話を聞いたのだ。カリンはSpitboyの中でも一番のFugaziファンで、ギターの音作りも間違いなく影響を受けていたが、その知らせを私たちに伝えながら彼女は微笑んだ。ヨーロッパにいた私たちは、さまざまな国を移動する間、そのオファーについてたくさん話し合った。Fugaziのショウの前座に誘われたのはとても名誉なことで、「Suggestion」という、最高のフェミニスト・パンク・ソングのひとつ――そしてSpitboyの曲「The Threat」にも影響を与えた曲（もちろんこちらは自分たちの個人的な体験が元になっているが）――を書いたこのバンドと共演できる機会は、これを逃したらもう二度とないということもわかっていた。

私はストレートエッジではなかったが、Minor Threat は大好きで、トゥオルミにいたころは Minor Threat を聞いて育った。Minor Threat のことを考えると、「Out of step with the world」と口ずさみながら、Bitch Fight のギターだったニコル・ロペスの家に向かって、太陽で焼けた歩道のない熱い道路を歩いている自分の姿を無意識に思い浮かべる。ほとんどストレートエッジだったニコルが私に Minor Threat の火をつけてくれた。ドラッグとアルコールの乱用でぶっ壊れた家に育った私は、Minor Threat の薬物乱用による破滅についてのメッセージには助けられたし、それは私自身が**やりすぎない**ように気をつけるための、注意のメッセージでもあった。

ただ私たちは Fugazi との対バンを断るしかなく、Fugazi のメンバーに Spitboy を見てもらうこともできず、とてもがっかりした。私は〈フォート・メイソン・センター〉のステージに上がり、イアン・マッケイが最前列で私たちのことを愛情をこめて見て、パフォーマンスにうなずいてくれている光景を夢想した。でもヨーロッパツアーの最初の週をイングランドで、パンクの象徴 Citizen Fish のディック、トロツキー、フィルと一緒に過ごせることで、私はなぐさめられた。彼らは Subhumans のメンバーでもあり、Subhumans は私がトゥオルミの棺桶みたいな屋根裏部屋で、70年代製のターンテーブルでいつも聞いていたバンドだ。「I don't want to die / I don't want to d-d-d-die!」ディックのはっきりしたイギリス・アクセントの歌声は、イングランドとはまるっきり正反対の、小さくて汚い町で過ごした私の10代をいつも思い出させる。クラッシュの大ファンだった私はイングランドへ旅することをよく夢見ていたが、このトゥオルミを脱出することができるのか、無事に地元を離れることができるのかすらわからない状況では、それは単なる幻想でしかないと思っていた。

イングランドをトロツキーのバンで移動中、私は車の小さな窓から、なだらかな緑の丘をよく見つめていた。移動中のあるとき、トロツキーが自分のバンを運転し、私は後ろの席でフィルと話していた。ポーラはピートと座り、カリンはジョンといて、ディック、ジャスパー、エイドリアンは寝ていたと思うが、私がどれほどSubhumansのことが好きだったかをフィルに話した。

「1985年にサンフランシスコの〈ザ・ファーム〉であなたたちのショウを見たよ」

「本当？　あのショウにいたんだ」　フィルは驚いたようだった。

「そう。そのショウのこと覚えてる？」

「もちろん覚えてるよ」　彼はニコッと笑った。

Subhumans はそのショウに Dead Kennedys と Frightwig と一緒に出演したが、〈ザ・ファーム〉でのショウはいつも忘れられないもので、規模が大きく、汗まみれで、暴力的だった。騒ぎを起こそうとスキンヘッズが集まって来るので、通路やステージにはセキュリティがいた。ステージは高く、たくさんのステージダイブやモッシュが起きて、その人だかりの中をスージー、ニコル、ニコルの母、私の4人はなんとか最前列へ進み、モッシュピットや頭の上を飛んでいくステージダイバーたちから距離を取ることができた。ステージはとても高かったので、私はトロツキーのドラムをチラッと見るのにもつま先で立っていないといけなかった。ディックは私たちのすぐ上で頭を振ってステージを動き回っていた。

フィルに、私はベイエリアの出身ではなく小さな町で育って、パンクのショウに行くことやレコードを買うことがどれくらい大変だったかを話した。

「絶対見逃せなかった、サンフランシスコにSubhumansが来るなんて」

「そう?」 フィルのにっこり顔が満面の笑みへと変わる。フィルに対してファンの少女丸出しになっても恥ずかしいとは思わなかった。

「学校が終わってから車で3時間かけて行って、ショウが終わったらまた3時間かけて帰ったんだから」

「そうなの?」 フィルがよくそうしたように、歯を全部見せ、眉毛は高く広く上がって、さらに笑顔になっている。

私はうなずいた。

「トロツキー、聞いた? トッドは1985年にサンフランシスコの〈ザ・ファーム〉で僕たちを見たんだって。3時間かけて車でショウに来たんだって」

トロツキーは振り返って笑顔を見せた。Spitwomen はいつもその笑顔にメロメロだった。彼は道路から目を離し、また後ろを向いて言った。

「そりゃすごい、それはすごいや」

本当にすごいことだった。ベイエリアに住んでまだ6年。私は幼稚園の先生で、時給は5ドルか6ドル。今は自分のバンドでヨーロッパを、当時田舎の町で孤独を感じながら聞いていたバンドのメンバーと一緒にツアーをしている。Subhumans の、今は Citizen Fish のフィルやトロツキーに、毎日お茶の時間には紅茶を出してもらい、そして夜にはステージに上がってドラムを叩いている。人生初のクランペットは、フィルの家ではちみつとバターをつけて食べた。Citizen Fish のベースのジャスパーが初めて私にお茶の好みを聞いてきたときには、彼はその通りにいれてくれてビックリした。

「トッド、お茶はどうする?」ジャスパーが聞いてきた。

「お茶いれてくれるの?」私は信じられずにそう言った。

「そうだよ〜」ジャスパーの訛りは他のメンバーとは少し違った。

「じゃあ砂糖をふたつ、クリームはなしで」どんな味がするんだろう。

私たちは Citizen Fish の友人の家にいた。テーブルクロス、ティーカップと受け皿などが全部お揃いのデザインの、いかにも「田舎の小さな家」といった雰囲気だ。私たちは全員破れたジーンズをはいて、鋲をつけて、バンドTシャツを着て、黒と灰色のひどい見た目だったはずだが、アンティークの椅子に座り、陶器のカップに入ったお茶を待っていた。

お湯が沸いてお茶が用意できると、他の人の好みも聞いていたジャスパーが私の分のお茶を持って戻ってきた。お礼を言って、ジャスパーが反対側を向くまで飲むのを待っていた。こっそりキッチンへ行って、もっと砂糖を入れないといけない気がしたからだ。でもその必要はなかった。お茶は完ぺきで、おそらく私がそれまでの人生で飲んだ最高の一杯だった。私はブロケードの長椅子にもたれてそのお茶をじっくり味わった。

Fugaziからの誘いを断らなければならなかったのは辛かった。でもCitizen Fishに可愛がられ、イギリスの田園で足を伸ばし、一緒にサッカーをやって、人生初のテトリー・ビールを飲んで、6日連続でトロツキーのドラムを間近で見て、1985年に〈ザ・ファーム〉で初めてその姿を見たときはベースを弾いていたすてきなフィルとも仲良くなった。古き良きイングランドはまったく辛くなかった。

第13章

ピート・ザ・ローディー

ローディーをお金で雇って仕えさせる、というのはあまりパンクじゃないと私は思っていた。だからツアーのときに誰か手伝ってくれる人を探すのは、いつもあまり気が進まなかった。手伝ってくれる人を雇うことについては、私が女性であること、シングルマザーの一番上の娘で、他人の要求に応えることを求められて、その逆に誰かが私のために何かをしてくれることはない、といったこれまでの状況のせいで、余計に気が進まなかった。

ただし、パンクバンドをやっている友人たちは、ローディーのことを単なる雇われの手伝い人だとは誰も思っていなかった。ローディーというのは、普通は誰かの友人で、ギターやアンプ、ドラムについて詳しくて、よく気がついて、重い機材を運ぶことも平気で、ただ仲間と一緒に旅するのが楽しみでやっている人たちだった。でもポーラがピート・ザ・ローディーと付き合い始めてから、Spitboy はプロのローディー――その人生をバンドとツアーすることに捧げ、彼を尊敬し慕（した）うローディー・パンクスのために、パンクロック・ローディーの〝掟〟を事実上作ってしまった人で、彼らにその〝ローディー道〟を教え込んだりもした――に簡単にお願いできるようになった。ピートや彼のようなローディーたちは、真剣に人に仕えるサービス業の人たちみたいだった。実際、何年もあとになって、バーバラ・エーレンライクの『ニッケル・アンド・ダイムド――アメリカ下流社会の現実』という本で、「仕える」ことについての考察を読んだときに私が真っ先に思い起こしたのは、ピートのことだった。ただしウェイトレスやホテルのメイドの仕事を体験してから、現実の生活に戻ってそのことについて書いたエーレンライクとは違い、ローディーとして人に仕えることがピート・ザ・ローディーの現実の生活だった。

　ピートにとって最も重要な仕事というのは、ピートの好きな音楽を創るミュージシャンによい環境を提供し、彼が信じるそういったミュージシャンたちの考えを広めるために力を尽くすことのようだった。ピートはバンドをやることで得られる栄光などに興味はなく、ただ黙々と自分の仕事をした。私は女性として、生活の大きな部分が誰かに仕えることだったひとりの女性として――母の手伝いで妹や弟の面倒を見たり、また幼稚園の先生という仕事は小さな子供たちの世話をすることでもあった（もちろん心配性なその親たちの世話も）――、彼のこの掟を尊重した。ただ自分のことになると、なんだか贅沢なことのように感じ、誰かが私のために何かしてくれるのを気持ちがいいとは感じなかった。それでもピートの場合は別だった。ピートが気にすることと言えば、私のドラムがちゃんとセッティングされているか、私がドラムを叩いているときにドラムセットが動いたりしないかということだけだった。

Spitboyがライブをやるとき、汚れたジーンズをはいたピートはすぐ取り出せるようにローディー道具を腰のベルトにつけて、ステージの脇、ドラムとアンプの間あたりにひざまずいて待機していた。もし演奏中にハイハット・シンバルや、いつもめちゃくちゃに踏むドラムペダルが動いてしまったら、いつでも動けるように気をつけて見てくれていて、私があごでピートに合図をすると、指が潰される危険などお構いなしに、ピートはズレたり外れてしまったものを飛んで直しに来てくれた。彼にとって一番重要なのは、途中で止まることなく、バンドがその曲を最後まで演奏し切ることだった。

チェコ共和国（その年にスロヴァキアと分離した）での唯一のショウだったプラハでのセットの最中、私のドラムペダルがバスドラムのヘッドを突き破ってしまった。そのドラムセットは対バンの地元のバンドから借りたものだった。ヨーロッパツアーにはギター、ベース、シンバルとスネアドラム以外の大きな機材を飛行機で持っていくことはできなかったので、イングランドで Citizen Fish とツアーしていたときは、私はトロツキーのドラムセットを、カリンとポーラは Citizen Fish のアンプを借りていた。自分のドラムセットで叩けないことが最初は怖かった。他人のドラムセットでちゃんと叩けるだろうか？　毎晩違うドラムセットを使うんだろうか？　ツアーは新しい順応性を必要とした。それでも、誰かのドラムを破壊してしまうかもしれないなんていうことは心配していなかった。そのプラハのバスドラムのヘッドはすでにかなり使い古されていたようで、セットの最初の方で、これは破れそうだなと感じていた。ヘッドの裂け目が見えるかどうか、下を確認してから頭を上げると、ピートは膝立ちから立ち上がり、私の方を向いて合図を待っていた。その曲が終わるまでに、ペダルはバスドラムのヘッドをとうとう突き破ってしまった。この他にバスドラムはもうなかった。もうセットを続けられないかもと私が思ったとき、ピートはペダルのマレットがヘッドを割いてしまったのを見つけて、私のそばにかけ寄ってきた。私はバンドの他のメンバーに合図して演奏を止め、ピートはセットの椅子をどけて、ペダルをバスドラムから外し、ベルトについているローディー道具からドラムキーを出してバスドラムのヘッドを外し始めた。

「心配するな、ドラム」と、彼はドラムセットの前に膝と手をつき、振り返りながら言った。「すぐ直すから」

ピートはこの献身的な「勤め」の他にも、バンドと一緒にツアーに出る一体感や、新しい人たちとの出会い、ツアーの日常、いろいろと起きる出来事、わかる人にしかわからない身内だけのジョークがとても好きだった。ピートは私を名前で呼ぶことはほとんどなかった。特にステージ上では、いつも「ドラマー」か「ドラム」と呼んだ。エイドリアンのことは「ヴォーカル」で、ポーラのことは「ミセス・ローディー」と呼び、今でもそう呼んでいる。ピートは私たちに飲み物が行き渡っているかいつも気にしてくれたし、誰がいつ、何が飲みたいのかを覚えてすらいた。私がホームシックになって、リトルロックのボーイフレンド、ジェイソンに会えずに寂しく過ごしているのにも気付いていて、演奏が終わってピートはドラムを他の機材と一緒に片付けたあと、テトリー・ビールを飲む私のとなりに座っていてくれた。

そのころ映画『ウェインズ・ワールド』が公開されて、みんなその映画を観に行った。『スパイナル・タップ』と同じで、『ウェインズ・ワールド』はロック・ミュージシャン――私たちを象徴するものであり、同時に私たちが反発しているもの――をパロディ化した映画だったから、観ておく必要があった。ツアー前半のどこかで、ピートと私は『ウェインズ・ワールド』のジョークを言い始め、どっちが相手をより笑わせられるかを競っていた。腰のローディー道具を取り出しやすいように、着ているバンドTシャツをツアーで汚れたジーンズの中にインしている、別にセクシーな存在というわけでもないピートが、ハイハット・シンバルに向かって腰を前に突き出して、「シュイーン、ハイハット」と言ってるのにはお腹を抱えて笑った。

　プラハで他人のドラムセットを壊してしまい、悪いなと思いながら、セットを直しているピートを見て私も何か手伝わないといけないと思ったが、特にできることなどなく、ピットクルーのように素早く作業するピートのことをただかしこまって見ていた。バスドラムのリム（枠）を取り、ヘッドを１８０度回転させ、リムを戻し、８つすべてのテンションボルトを締めて、今度は上側に来た穴をダクトテープで塞いだ。

　ペダルをつけ終わると、ピートは立ち上がってズボンで手を拭いた。

「パーティー・オン、バスドラム」満面の笑みでピートはそう言った。

　他人のバスドラムのヘッドを破壊して、それをピートがダクトテープで延命させたという状況だったけど、この一言に私は大爆笑してしまった。

　ピートにハグしたかったが時間がなかった。

　ドラムのヘッドを修復してもらい、自分たちのセットも無事終わらせて私は浮かれていたが、それも長くは続かなかった。ショウのあとに、その夜見に来てくれた人たちが払った入場料が、彼らが得る一週間分の給料と同じ額だということを知ったからだ。私たちは主催者の住む灰色で共産主義的な高層アパートの部屋にいたが、それを聞いてとても申し訳なく思った。私が考えられたことと言えば、ドラムヘッドを弁償して、あと Spitboy は無料でライブをすればよかったということだった。カリンが「地獄のドライブ」と旅程表に書いていたように、東ベルリンからプラハまでとても長い距離を走って来たにしても、もし事前にこの入場料のことを知っていたら、私たちは正しいことができたと信じたい。プラハへの道中で見かけた娼婦たち。東西ドイツの再統一と旧チェコスロヴァキアの解体が、すぐさま好景気をもたらしたわけではないことに、私は気づくべきだった。

東ベルリンへ戻るとき、セックスワーカーたち――おそらく来たときに見かけたのと同じ女性たちだろう――の横をまた通って、頭から離れないプラハの美しさ、モノクロのコンクリートの家々のことを思った。Spitboy を見るために一週間分の給料を払った人たちのことを考え、私たちのショウは本当にそれだけの金を払う価値があったのか、そして私たちはそんなところに行って普通にライブをしたなんて、なんと浅はかなんだろうと思った。そしてピートがダクトテープで直したドラムヘッドが、少しでも持ちこたえてくれることを願った。

第14章

私の身体は私のもの

私たちが『Mi Cuerpo Es Mío』7インチをリリースしたとき、オリンピアのあるライオット・ガールがSpitboyのことを、「文化盗用（カルチュラル・アプロプリエーション）」だと非難してきた。そのライオット・ガールはベイエリアのシーンとも通じていて、そして彼女は白人だった。彼女はまったくの本気で私たちを非難してきたのかもしれない。もしくは「文化盗用」は彼女がエヴァーグリーン州立大学〔ワシントン州オリンピアにあるリベラルアーツ・カレッジ〕で学んだばかりの新しい概念で、私たちにちょうど当てはまると思ったのか、それともSpitboyが彼女のムーヴメントと距離を置いていることに対して、ただ怒っていただけなのかもしれない。その女性は

私たちのレコードのタイトルにスペイン語が使われていることに対して、「他の文化から盗んだ」と抗議してきたのだ。タイトルの「mi cuerpo es mío」とは、「私の身体は私のもの」という意味だ。

どうやら私の身体は目に見えなかったらしい。

『Mi Cuerpo Es Mío』は、Lookout Recordsからリリースされた最初の7インチEP、Ebullitionから出たLPに続く、Spitboyの3つ目のリリースだった。『Mi Cuerpo Es Mío』はAllied Recordingsからリリースされた。私たちがAlliedを選んだのは、Alliedを運営していたジョン・イエイツと私たちとのつながり、特にカリンを通してつながりがあったのと、「特定のレコード・レーベルにSpitboyを支配させない」と決めたからだった。パンクシーンそれ自体がそうであるように、パンクのレコード・レーベルは男性により運営されていた。もちろん私たちはこういったレーベルの男性たちに感謝していたが、そのどの男性にも、Spitboyの存在、音楽やメッセージを所有した気になってほしくなかった。それはカリンの提案だった。私が以前やっていたバンドKamala and the Karnivoresの7インチ、『Girl Band』は、まだ私がLookout Recordsの創立メンバーのひとりのデヴィッド・ヘイズと付き合っていた1989年にリリースされた。そのレコードに対する反応でとても恥ずかしい経験をしたあとでは、カリンの提案はまったくその通りだと思った。当時、Kamala and the KarnivoresがLookoutからレコードが出せたのは、私がデヴィッドと付き合っていたからだと、数人から実際に言われたことがあったのだ。でも結局『Girl Band』は、単にいいレコードだったんじゃないかとのちに言われるようになった。このレコードの最高なジャケットは、私とベース／ヴォーカルのアイヴィーが好きだった映画、『Superstar: The Karen Carpenter Story』〔1988年、トッド・ヘインズ監督〕に着想を得たものだ。『Girl Band』のジャケットでは、その映画がそうだったように、Kamala and the Karnivores のメンバー全員がバービー人形になっている。私用の褐色肌のバービーや、ギターのリンダ用にアジア系バービーも探して見つけた。

シーンになじんでいく過程で、私は白人としてパスすること〔民族的アイデンティティを隠して白人として通ること〕は絶対にしなかった。でも私のニックネームはトッドだったし、普段シーンの中で名字で呼び合うことはあまりなかった。実名のような家族に関係することよりも、どんなバンドにいるのか、どんなジンを作ったのかや、どこの出身かということの方が重要視されたし、パンクスの多くは離婚した親や崩壊した家族を持つ人たちだった。バンドをやっていれば、"Todd(トッド) Spitboy," "Adrienne(エイドリアン) Spitboy" のように、名字はバンド名になった。Spitboy の前は、"Todd Bitch Fight" と呼ばれていた。

私の見た目は Spitboy の他のメンバーとは明らかに違ったが、私のエスニシティはベイエリアではあまり話題に上ることがなかった。1990年代、人々はまだカラーブラインドでいようとして、人種を見ないように、もしくは見ないふりをしようとしていた。このオリンピアのライオット・ガールもおそらくそうだったんだろう。人種について話すのは失礼なことで、だから私もあまりその話をしなかった。でもこの会話だけはよく覚えている。

「名字は何ていうの？」

ショウが終わったあと座っていたら、来ていたカリンの友人が私に聞いた。

「ゴンザレス」　私は答えた。珍しい質問だった。

「ゴンザレスって名字なの？　えーと、メキシコ系？」

「ええ、そう」

これはある意味ではいい質問だった。多くの人は「あなたはどこの人？」と聞いてくる。

「なんで今まで知らなかったんだろう」

「さあ」

「おかしいな。ごめんなさい」　ブロンドの髪でごく普通の見た目、世間からは〝特権〟のおかげで守られてきたようなその友人は言った。

「どういう意味？」

「もっと前に知っておくべきだったと思って。Spitboy のライブは何回も見てきたし。パンクのバンドでしょう。ただそれ以外は何も考えたことがなかった」

「ああ、そういうことか」

「本当にごめんなさい」　彼女は腕を伸ばして私の膝に触れた。

何を言えばいいのかわからなかった。

「アイデンティティはとても重要なのに、それを、あなたを見ようとしなかったわけだし。ただSpitboy を見てただけで」

「よくあることだと思う」　私は言った。「短い髪や服装を見る方が楽だと思うし」

「もう二度としない。よくないことだから」　彼女は言った。

トゥオルミで人種や階級についてのあざけりに何年も耐えながら育ったあとで、ある場所にとけ込むことはとても重要なことだったが、当時私がパンクシーンにとけ込もうとしたやり方は、また別の問題を生んだ。「妥協しない」というパンクの方法論に妥協すること――特にパンクの「制服」を身につけて従うこと――で、私はどこかで何かを失ってしまい、自分ではよく理解できない不満を感じるようになった。私はひそかにリンダ・ロンシュタットの『ソングス・オブ・マイ・ファーザー（カンシオーネス・デ・ミ・パードレ）』を聞いて、その悲しい旋律を口ずさんでいたが、ロンシュタットがかつてそうだったように、スペイン語で歌われる歌詞の意味はなんとなくしかわからなかった。この混乱と不満の原因は、自分のアイデンティティにあることはわかっていた。だから仕事のあとに時間があるときに、コミュニティ・カレッジでスペイン語の授業を受け始めた。

スペイン語会話を覚えるのは長年の夢だった。子供のころ、誰かから赤いハードカバーのスペイン語／英語辞書をもらい、私はその辞書を毎晩寝る前にベッドで読めば、イーストＬＡの他の家族のようにバイリンガルになれると純粋に思っていた。のちに、ベイエリアに住んでいるのにスペイン語が話せないということに悩み始め、実は私はとても不完全で、見せかけだけなんじゃないかと感じるようになった。バンドをいくつかやったり、ショウに行ったり、Blacklist Mailorder でボランティアをしたりと、パンクシーンにとけ込めるように一生懸命活動したが、シーンに完全に受け入れられたとか、理解されたと常に感じていたわけではなく、道行く人が私にスペイン語で話しかけてきて、スペイン語ができないとわかると困惑されるサンフランシスコのミッション地区が、私には場違いのように感じて、ミッション地区に出かけるのをためらうことすらあった。コミュニティ・カレッジでスペイン語の授業を数学期受け、家族の話す言語を少しだけ話せるようになって少し安心したし、パンクシーンの中でも、私は有色の人間だとカムアウトすることもできるようになった。

『Mi Cuerpo Es Mío』はポーラとの最後の音源になったが、このタイトルを提案したときは、25歳の私の内で起きていることを言い表せる言葉を知らなかったから、タイトルの意味について他のメンバーにちゃんと説明したわけではなかった。あとになって言葉で表現できるようになってからも、私から出てくる言葉の多くは間違っていたり、ぎこちなかったり、怒っていたり、尖っていたり、人を遠ざけたりするものだった。特にInstant Girlの最後のときはひどかったが、でもこれが私のプロセスの一部だったんだと思う。

バンドの全員が「mi cuerpo es mío（ミ クエルポ エス ミオ）」というフレーズを気に入った。その言葉の音と意味は強く、そして私たちが何者であるかを要約していたからだ。男性名詞“cuerpo”と、それに合わせた代名詞“mío”の最後の音が構文的に揃っているのがこのフレーズの強さの理由だが、スペイン語はこの点で特に響きがよく、韻を踏むのも簡単だ。スペイン語を学んでみて、特にこの点はよく理解できたし、音の強調のされ方も魅力的だった。

ただそれでも、私が「mi cuerpo es mío」をこの7インチレコードのタイトルとして提案した一番の理由は、バンドの中で欠けているように思えた、〝私自身はバンドの何を表しているのか〟という点を確かめることだった。それは私が表現することのできない、また表現するのに不安を感じていた点だった。なぜ表現できないのか、それをシーンのせいに、トゥオルミのせいに、アメリカのせいにする。そういった理由はいくらでもあっただろう。そしてたぶんそういった理由のすべてが、私自身のlocura（狂気）の、分裂し、隠して（クローゼット）いるアイデンティティの原因だったのだ。

Spitwomenが私たちのレコードのタイトルを、スペイン語で「私の身体は私のもの」にしたかったのかどうか、まったく自信はなかったが、それに決まって私は嬉しかった。ただライオット・ガールに批判されたのはとてもショックで、本当に腹が立った。

多くの人がそうであるように、何かイライラさせられることが起きたとき、当時の私もまず怒りを覚えた。怒りは悲しさを覆い隠す。しかし、他人を文化盗用で痛烈に非難するくせに、有色の人間の顔を見てもそうだと認識できないようなライオット・ガールがバンドを攻撃してきたときに私が感じていたのは、そもそも怒りではなかったのではないかということが、すぐには理解できなかった。私はそれで傷ついたが、人が私をちゃんと見ていないことに傷ついたわけで、それは私が引き起こしたことでもあった。シーンの人たちは、私が本当は何者なのかを、私がこの世界を生きているこの顔と身体を、見ていなかった。どのショウに行くときでも、私はチカーナとしては認識されていなかった。私はただSpitboyのドラムであり、なんらかの理由で、その両方になることはできなかったのだ。

第15章

カート・コバーンが死んだ

1993年の12月31日に、〈オークランド・コロシアム〉でニルヴァーナを見た。私のリトルロックのボーイフレンド、ジェイソンがコネを持っていて、私たちはバックステージに入り、VIPゲスト専用にステージ脇に用意された観覧席でそのショウを見た。気分屋のカート・コバーンに話しかけるのはやめて、無料のビールを飲んでピンボールをやったり、Green Dayのメンバーや、当時ジェイソンがやっていたバンドMonsulaのメンバーたちと遊んでいた。

パンクロッカーはメインストリームの音楽を好んではいけない、というのが通説だったが、私のまわりはみんなニルヴァーナのことが好きだったし、Spitboyはリズ・フェアが大好きだった。ニルヴァーナとリズ・フェアは似たようなアーティストで、ニルヴァーナはメジャーレーベルにいて、リズ・フェアはちょっとお金があるインディーレーベルのマタドールに所属していた。だからこういったバンドのCDをラジカセでかけると、〝パンク・ポイント〟を失ったような気になった。でもメジャーレーベルの是非はとりあえず無視して、時代とともに先に進むためにも、自分たちの音楽の好みを認めてとにかくそういったCDをかけていた。

ポーラはときどき起こる手首の痛みや、真剣な関係になっていたピート・ザ・ローディーと遠く離れていた辛さもあり、そのころにはバンドを辞めていた。ポーラがバンドを辞めてしまうのは私も辛かった。大きな喪失のように感じたが、ヨーロッパツアーのときから彼女がすでに口にしていたことでもあったので、辞めるのに際してメンバー内での緊張のようなものはほとんどなかった。また、他のメンバーほどうまくプレイできていないのではないかとポーラが不安を抱いていたことも、私たちは知っていた。でもそんなことは私にはまったく問題ではなかった。なぜ順調に活動できているバンドを辞めてしまうのか、正直理解に苦しんだ。でもポーラの自信喪失や、ピートと一緒になるためにイングランドに引っ越そうと本気で考えていることは、私もよく理解できた。ポーラのピートへの愛ほど、人が誰かのことを真剣に愛している姿はそれまで見たことがなかったし、それ以降も見たことはないのかもしれない。

ポーラが抜けてすぐ、エイドリアンがドミニクを私たちに紹介した。エイドリアンとドミニクは、当時エイドリアンが働いていたバークレーのホールフーズの通りの向かい側にあった、有名なGreen Dayの家――「Longview」のミュージック・ビデオが撮影された場所――に出入りしていた若い女性のファンを通して知り合った。ポーラが抜けてSpitboyはベーシストと車の整備士を失ったので、エイドリアンは新型のバンを買った。新しいベースのドミニクはクラシックの教育を受けたチェロ弾きで、素晴らしいミュージシャンだった。ドミニクは建築を勉強していたので、エイドリアンの新しいバンにロフトを作るのを手伝った。整備士を失って設計士を得たというわけだ。ドミニクは他の3人より若く、いい意味でクセがあり、メッセンジャーバッグに入れてあるダークチョコレートのスナックバーをいつもちびちびとかじっていた。ドミニクはバンドに新しいパワーを吹き込んだ。ドミニクが加入して、私たちは特に上手になったというわけでもなかったが、作る曲はもっと複雑になった。のちにエイドリアンがSpitboyを辞めたあとは、カリン、ドミニクと私の3人でInstant Girlを組んで、もっと原初的なパンクの4／4拍子に戻った。Instant Girlの曲は、メリハリのあるストップ・アンド・ゴーや、クラッシュ・シンバルがたくさん入ることがアクセントになっていた。

ドミニク加入後の最初のアメリカツアーで、数年前、まだポーラがバンドにいたときに一緒にイングランドをツアーしたCitizen Fishと、何度か一緒にショウを行った。このCitizen Fishのツアーにも、ピートとポーラが一緒に来ていた。つまりそこには私たちの新しいベーシストがいて、古いベーシストは別のバンドのツアーの一員で、みんなが一堂に会したわけだが、この状況はポーラとドミニクを妙な立場に置いた。でもこのふたりは、女性に対するステレオタイプのように、お互い競い合ったり、意地悪になるようなことはせず、それを乗り越えようとしていた。ポーラにとって、古い曲やポーラの作ったベースライン、それにポーラの知らない新曲を、ドミニクが弾いているのを見るのは辛かっただろう。それでもポーラが私たちのセットを見ながらノッているのがステージから見えた。もちろんピート・ザ・ローディーは私のドラムセットに何か起きたときのために、ステージ袖に立っていてくれた。今日にいたるまで、ポーラはドミニクが元気かどうかをまわりの人に聞いているし、ドミニクもまたポーラのことを気にかけている。過度な緊張やドラマもなく、みんな愛をもって、愛のためにメンバーの入れ替えができたことの証(あかし)だろう。

ドミニクがSpitboyに加入したとき、パンクシーンには大きな変化が起きていた。私たちは少し歳を取り、パンクはメインストリームの音楽になり、パンク以外の音楽を聞いていることに、以前ほど後ろめたさを感じないパンクスも出てきた。Spitboyは1994年春に行った4週間のツアー中に、リズ・フェアの『Exile in Guyville』を少なくとも100回は聞いたはずだ。ドミニクが運転して、私が助手席に座り、「Divorce Song」や「Fuck and Run」などを歌いながら次のショウに向けて高速道路を走った。「アラームの音で目を覚ます／ここがどこだかわからない／あなたの腕の中で目を覚ましたから」　私はバンの助手席に座るのが大好きだった。真昼の陽光が私を照らす中、高らかな声で歌っていると、まるで大きなフロントガラスから世界中が見わたせるようだった。パンクがメインストリーム化することで、警察に止められるストレスが少し薄らぎ、また私たちは女性、多くは白人の女性だったので、警察から脅(おど)されることも減った。

ある夜、ショウが終わって高速を走っていたとき、東海岸まで残り半分あたりのところで、高速道路パトロール隊に止められた。私たちはその前からドミニクの運転を少し心配していたが、ちょうどドミニクが運転していたときで、強風にあおられてバンがフラフラした直後だった。バックミラー越しにパトカーのライトの点滅と、銃を持った警官がひとりバンに近づいてくるのを見て、ドミニクは少し青ざめていた。

「先ほどフラフラ運転していたので止めました」赤い顔をした警官はバンの窓まで来てそう言った。

「すみません、お巡りさん」

私はカリンと後ろの席に座り、そのやりとりを見ていた。エイドリアンはロフトにいて、助手席にはそのツアーのローディーだったフィリスが座っていた。

「身分証明書を」

「違うんです、薬は何も飲んでいません。これだけです」ドミニクは自分のメッセンジャーバッグの中をかきまわし、古いレシート、チョコレートの包み紙が床に落ちた。そして恐ろしいことに、イブプロフェン（鎮痛剤）のビンを取り出して警官に見せた。

「違いますよ。身分証明書を見せてくださいと言ったんです」

フィリスは普段だったら大声でバカ笑いしそうなものの、笑いをかみ殺し、私の横にいたカリンとロフトのエイドリアンは、見つからないことを願いながら静かにしていた。

警官は懐中電灯でバンの中をさっと照らし、私たち全員に光を当てた。車内に何人いたかを覚えておくためだろう。

「きみたちはどこに行くんです？」

「私たちはバンドなんです」ドミニクは答えた。

「バンドか」警官の男は電灯をもう一度上げて、髪の乱れたエイドリアンを照らした。

「あれがヴォーカルだろう、違う？」

ドミニクはうなずき言った。「そうです。あれはエイドリアンで、バンドのヴォーカルです」

「やっぱりね」警官の男は言った。「ヴォーカルは決まってワイルドな見た目なんだよ」彼はうなずいて笑った。自分の推測が当たってご満悦（まんえつ）のようだ。そしてパトカーに戻り、免許証と車の登録情報を確認した。

ドミニクは若くてのんきな性格だと思っていたが、実はローディーのフィリスのことをとても心配していたことに私は気づかなかった（たぶん私たちがフィリスの運転に気をもんでいたのと同じくらい心配していたのだろう。フィリスはあまり運転の経験がなかった）。Tourettesというバンドでドラムを叩いていたフィリスは、私のドラムセットの片付けや他の機材の運搬も手伝えるからと、ドミニクにツアーに連れて行ってくれるよう頼み込んだ末にやって来た。フィリスもベイエリアのパンクシーンの近いグループにいたが、彼女は私たちよりかなり若くて当時まだ16歳で、ドミニクはフィリスの母親に彼女のツアー中の安全を約束した。何も起きなかったが、フィリスが何もしなかったからというわけではなかった。

カート・コバーンが死んだその日、私たちはニュージャージーのラトガーズ大学でショウがあり、ドミニクの運転で会場の大学に着いた。当時『ネバーマインド』を私はLPで持っていたが、CDはまだメンバーの誰も買っていなかった。カートの死後すぐどこかでCDを買ったが、亡くなってから買うなんてちょっとダサいことだった。ニルヴァーナがメジャーレーベルと契約し、バンドがどのように理解されるかを心配していたカートは正しかったのかもしれないとも思うが、現実はそんなに白黒はっきりしたものではなかった。

彼の伝記、『ニルヴァーナ：ザ・トゥルー・ストーリー』の中で著者のエヴェレット・トゥルーは、メジャーレーベルとの契約がカート・コバーンとニルヴァーナへ与えた影響について、ニルヴァーナがゲフィン・レコードと契約して以降、カートはパンクシーンから敬遠されるようになったと感じていたと書いている。93年暮れのニルヴァーナのショウの日、Green Day,

Monsula や Spitboy のメンバーはタダでバックステージに入った。「自分たちが正しいと思い込んでいるシーンからやって来たパンクキッズたちが全員興奮していた。（中略）それまでニルヴァーナのことをセルアウトとか言っていた、ああいった偏狭なパンクロッカーたちに素晴らしいショウだったと言わせることは、何ともすごいことだ」（同書より） カートにとって、特にヘロインの壊滅的な影響の元で、自分に浴びせられる批判をやり過ごすのは大変なことだったに違いない。ただ彼がわかっていなかったのは、当時すでに有名バンドだった Green Day と長年友人の私たちのような人間の多くは、セルアウトについて、彼が思うほど白黒つけられることじゃないと考えていたことだ。中には同じ世代だという共感から、ニルヴァーナに対しては「セルアウト」という言葉を使わないようにしていた仲間もいた。

1994年4月8日、カート・コバーンの自殺が報じられた日、フィリスが助手席に座り、ドミニクの運転で、その日のショウの会場、ラトガーズ大学キャンパスの食堂に着いた。前もって公衆電話で聞いておいた通り、ダンプスター（ごみ収集箱）の横にある小さな駐車場に車を停めた。ドミニクが食堂から離れたその狭い場所に駐車したとき、そこには若い男性や学生が数人いた。ドミニクがエンジンを切ってドアを開ける前に、そのひとりがバンの運転席に走り寄ってきた。

「聞いた？ ニュース聞いた？ カート・コバーンが死んじゃった！」

私たちはショックで固まってしまった。まだそのニュースを知らなかったのだ。私たちにはリズ・フェアや小型のスクラブル〔アルファベットの駒を使い、単語を作って得点を競うボードゲーム〕、本、それにお互いがいたからあまりそうは思っていなかったが、携帯電話やインターネットが普及する以前のツアーは、社会からの隔離と同じだった。長いドライブの間、その前の晩のショウについて話し、『Exile in Guyville』の曲を歌ったり、Unwound や Jawbreaker のような他のお気に入りのバンドを聞いたりしながら、そのニュースが出たときはまだ他の州のどこかを走っていたのだろう。

「え?」振り向いて他のメンバーの顔を見て、今聞いたことが本当なのかを確かめるようにドミニクが言った。ドミニクは私たちの中でも若いから、そのニュースの衝撃が大きいだろうことは私たちもなんとなくわかっていた。あとの3人はそれまでにもたくさんの死を経験してきていた。

「自殺だって。銃で自殺したらしい」ドミニクが駐車してドアを開けると、ラトガーズのショウの企画者がそう言った。

ドミニクがバンから降りて、私は助手席の端に移動してフィリスの隣に座った。私はバンの横にあるフタのしまったダンプスターや、キャンパスに立つ木々を見て、それから後ろの席に座っているエイドリアンとカリンを振り返って見た。私たちは柄にもなく静かで、そのニュースをよく飲み込もうとしていた。

ラトガーズ大学の木々を見ながら、Spitboy は今日はどんなライブをするのだろうと思ったが、とにかくやるしかない。そして家にいる若いボーイフレンドのジェイソンのことを思った。ジェイソンはひとりでテレビを見るのが好きだ。このニュースがテレビに流れたとき、彼はひとりソファーに座って何を思っていたのだろう。

第16章

最高の思い込み

Spitboyはよく、真実とは程遠い「思い込み」をあれこれとされた。まず、私たちは同性愛者だと思われた。バンドの8割が少なくとも一度は女性とセックスをしたことはあったが、実際にはそうではなかった。また私たちは全員がヴィーガンだとも思われがちだった。カリンはそうだった。エイドリアンはときどきヴィーガン、あとで加入したドミニクもヴィーガンだった。でもポーラと私はヴィーガンではなかった。他に私たちはクラスティー・パンクスだと思われることもあったが、それはただエイドリアンがいわゆるドレッドロックのような髪型をしていたからで、しかも実際にはドレッドではなく編み込みだった。

私たちを最も驚かせた「思い込み」をふたつ挙げると、まず私たちは「タチが悪くて怒っている人たち」

だということと、それに「パーティー好き」だということ。最初のアメリカツアーで行く先々で会った人たち——ファン、企画者、他のバンドのメンバーなど——は、まったく同じことをよく言ってきた。

「あなたたちはとっっっってもいい人」他に何を言えばいいのかもわからず、とりあえず「ありがとう」と答えておくしかなかった。私たちは本当にそんなにいい人だったか？

私たちがいかに「いい人」かについて何か言わずにいられなかったのは、何も女性だけではなかった。男性も言ってきた。そのツアーも半分を過ぎて、それがどういう意味なのか私たちは疑問に思い始めた。

「どこに行ってもそれを言われるんだよね」カリンが言った。

私たちはその日のショウのあと、その夜泊めてくれる女性と話していた。

「そう、なんでそう思うの？」ポーラがその女性に尋ねた。

「えーと……」その女性は慎重に言葉を選びながら、ゆっくり話し始めた。「あなたたちがいい人だとは思ってなかっただけ」

「なんでいい人じゃないと思ったの？」カリンが聞く。

「そう、あなたの家にこうやっているし、タチが悪いわけでもないでしょ？」私が付け加えた。

「あの、それは、そう、あなたたちの音楽とか、曲が……。すごく怒ってるみたいだから」

エイドリアンが大声で笑った。

「普段もみんな、すごくまじめなんじゃないかと思って。でも全然そうじゃないみたい。４人ともすごく優しくて面白いし、いつも笑ってるし」彼女は意図することが説明できて、確信を得たようだった。

私が14歳のとき、サンフランシスコのパンクのショウに行くと、怖いと感じたことがあった。それはただ私が田舎の小さな町の出身だからではなかった。年上のパンクキッズは怒りに満ちていて強そうに思えたのと、〈ザ・ファーム〉や〈マブヘイ・ガーデンズ〉でのショウではいつも暴力沙汰が起き、酔っぱらったパンクスも大勢いたからだ。彼らはまるで、Dead Kennedysを見に行って「Too Drunk to Fuck」のような歌を文字通り受け取ってしまったようなパンクスだった。Spitboyはパーティーバンドじゃなかったし、それに私たちは女性だったから、まさか私たちのことを怖いと思っている人がいるなんて思いもしなかった。ステージではそうやることもたまにあったが、誰かが私たちに地団駄(じだんだ)を踏んで怒り散らすような態度を期待しているとは考えたこともなかった。私が思うに、それはSpitboyの音と見た目の組み合わせに、「怒ったフェミニスト」のステレオタイプが結びついてできたものだった。

ヴォーカルとその見た目がバンドを表すとすれば、もしかしたらエイドリアンのアナーコ・クラスティーな見た目（他の人からはそう見えていた）が、そういったステレオタイプを生んでいたのかもしれない。でも私はときどき、責任はEconochristにあると文句を言った。ヴォーカルのベン・サイズモアがストレートエッジだということは関係なく、Econochristのようなバンドは、「ハードコアはパーティー好き」という思い込みをより強いものにした。たぶんそれは、ジョン・サムロールやマイク・スコットがショウの前から泥酔していて、それでもライブはちゃんとできるという姿が、他の人たちに「ああ、この人たちと一緒に朝まで酔っぱらって遊んだら楽しいだろうな」と思わせたのかもしれない。でもSpitboyの誰も酔った状態でライブをやりたくなかったし、私はときどき家で飲みすぎることがあったけど、メンバーの誰も大酒飲みではなかった。事実私たちは、バンドがライブの前やライブ中、それにライブが終わってすぐ酔っぱらうのは、ありふれたつまらないことだと思っていた。それはあまりに〝ロックンロール〟すぎて、私たちにとってはその時間を楽しむ方法ではなかった。Spitboyはメッセージを持ったパンクバンドだった。だからショウの前に酒を飲むのはSpitboyの掟に反していた。もちろんそれが危険なのは言うまでもない。私はいつもスティックのグリップの端で内ももを打ちつけてしまうので、両ももとも青あざだらけだったし、最初のバンドBitch Fightで、酒を飲みながら演奏することについての教訓は得ていた。あるときパーティーでライブがあり、ビールを2、3本飲んだあとに出番が回ってきて、私はヴィクファァースのドラムスティックで口を突いてしまい、あやうく歯を失うところだった。

ツアーのときは（特にヨーロッパでは）、遅い時間に始まるショウの前の夕食で、ワイン1杯くらいは飲んだことがあったかもしれないが、いつも私たちは自分たちの出番が終わってから酒を飲んだ。でもすでに疲れ果てているか、それに翌日の長い移動を前にさらに疲れたくないし、二日酔いにもなりたくないから、そんなにずっと飲んでいるわけでもなかった。

ヨーロッパでは、私たちのツアークルーのピート、ノルデ、エリックは私たちよりよく飲んだ。運転のローテーションに従って、ノルデとエリックは交代で飲み、私たちはときどき出番が終わったあとにそこに加わった。ピート・ザ・ローディーは私たちの「好み」――何を、いつ、どれだけ飲むか――をツアーの早くに理解し、出番が終わってドラムを片付けたあとに、ビールはいるかとよく聞いてくれた。

「ドラマー、ビール？」とピートが言う。

ときどき彼は1本だけ持ってきて、別に飲みたくない気分でもそのときは私も飲んでいた。ピートはポーラへの愛で心ここにあらずだったが、それでもいい話し相手だった。私がテーブルやバーでビールを飲んでいるときには、彼は一緒に座って、一応非喫煙者のつもりでいた私に彼のたばこを一口すすめてきたりした。

「ハシシでも吸う？」ドイツでのあるショウが終わって、会場の外でノルデが聞いてきた。

「ハシシ？　さあ、どうだろ」私は言った。私はドアを開けっぱなしにしてバンの中に座っていて、ノルデはバンの外で私の前に立っていた。ピートもそこにいた。

ノルデは背が高くてがっしりしていて足がめちゃくちゃ長い、ブリーチした金髪のドイツ人だ。彼はいかつく北欧流にハンサムな男だったが、私にはボーイフレンドがいた。

「ハシシは吸ったことあるか、ドラマー？」ピートが聞いてきた。

「たぶん、大昔に」私は答えたが、ハシシの経験なんて一度もなかった。ときどきたばこを吸う以外は、私が他に何も吸わないことはみんな知っていた。Spitboy の全員が10代のころにマリファナを試してみたことはあったが、ハシシは誰も経験がなかった。効き目で言えば、ハシシはもっと強そうだったし、倒れてしまわないか心配だった。でも今はヨーロッパにいるし、何か新しいものを試すいい機会は他にないようにも思えた。

「それってそのまま吸うの？」ノルデが持っていた包みの中の油っぽい小さな黒いかたまりを見ながら、私はそう聞いた。

「一番いいのは少量をたばこに混ぜるんだ」私がたばこ好きなのを知っているピートがそう言った。

私は笑って、首を縦に振った。

「よし、吸ってみよう」

エリックはいつも自分でたばこを巻いていたので、ハシシを入れて、でもあまり入れすぎないようにと私は言って、1本巻いてもらい、バンの中で吸った。ハシシのせいで私はクスクス笑い、ノルデにキスしたくなってきたが、家にいるボーイフレンドのことを思ってしなかった。エリックがその夜泊まるところまでバンを運転し、ノルデはバンの後ろのロフトで、私の隣で横になっていた。道中私はずっとクスクス笑いながら、ノルデに自分の寝袋の名前、「スランバージャック」の面白さを説明しようとしていた。

「「Slumberjack（スランバージャック）」って、ダジャレなんだよ」私は笑いをこらえ、まじめな顔をして言った。

ノルデは笑ったが、意味がわかっていないようだ。

「slumber は、英語で「寝る」って意味もあるの」

「ああ、聞いたことある」自分の腕を枕にしたノルデは、私を見ながらそう言った。

私はまた笑い出し、ノルデのことを笑ってると思われていないといいなと考えながら、このツアーで出会う人たちのほとんどが英語を話せるのに、私たちは英語しか話せないことに改めて気がついた。

「でもそれが面白いわけじゃない」私は続けた。

「slumber は lumber と韻を踏んでるんだよ。で、lumberjack は大きな木を切る、木こりのこと」

私は大笑いし、カリンも一緒に笑っていた。これを説明するのは本当にバカげたことなのだ。

ノルデは体を伸ばし、長い脚はバンの壁についている。彼は私を見ながら、まだこのダジャレがわからずにいる。

「ポール・バニヤンって知ってる？　おとぎ話に出てくる木こりで、青い牛を連れてる」

「何それ？　青い牛？」

カリン、ジョン、私はずっと笑っていた。笑いすぎて呼吸が苦しくなるくらいだ。

「青い牛はね、実在してるわけじゃないの」むせて、涙が出てきた。

＊　＊　＊

2年後、ニュージーランド、オーストラリア、日本をまわるパシフィック・リム（環太平洋）・ツアーで、Spitboy はスクラブルの面白さを発見した。カリンが、旅行用の折りたたんで持ち運べる、簡単に失くしそうな小さな駒がカチッとはまるタイプで、ゲームの続きがいつでもできるスクラブルのセットを買ったのだ。ツアーの最初の国、ニュージーランドでは、"Rent-a-Dent" でレンタカーを借り、カリンに協力してツアーを組んでくれたロスが運転した。Mordam Records で長く働いていたカリンは海外取引の担当で、海外の連絡先もたくさん知っていて、そのおかげで Spitboy のようなバンドでもツアーができた。ニュージーランドのロスは、高い頬骨、ひょろっとしたモヒカンで、ボンデージパンツをはいていて、でもよく笑うのでイギリスの一流パンクのように完ぺきにはなれず、うすら笑いすることもなければ中指を立てているタイプでもなかった。空港で私たちを迎えに来てくれた彼に初めて会ってすぐ、Spitboyはロスのことが好きになった。レンタカーのバンはへこみ（dent）があるようには思えなかったし、ドミニクくらいの背丈なら後ろで横になって寝られるスペースがあった。ドミニクはよくそこで寝て、朝に眩（まぶ）しい光で起きるときには、パーカーのフードをかぶったままむっくりと起き上がるので、ネス湖の怪獣にちなんで私たちはドミニクに「ネッシー」というあだ名をつけた。

ロスは私たちと会うことや、オークランドの友人たちを紹介したり、港や公衆浴場、遠くの雪山など、観光に連れていくのをとても楽しみにしていた。ショウはどれもオールエイジ（年齢制限なし）だけど、ショウのあとにはパーティーする時間があると約束してくれたが、私たちがもっと楽しみにしていたのは、食べ物や寝る場所のことだった。カリン、ドミニク、今回のローディー兼撮影担当のキャロライン・コリンズはヴィーガンで、どの国についてもあらかじめ「ロンリープラネット」を読んで、レストランについて情報を得ていた。キャロラインは以前この環太平洋の国々をツアーしたことがあり、おすすめの店もいくつかあった。ベジタリアン、ヴィーガンのソーセージサンドウィッチが食べられるカフェのことは、私もよく覚えている。

ドミニクが別便で到着し（ドミニクの父、キャプテン・ボブはアメリカン航空のパイロットだった）、私はひどいめまいと時差ボケから復活して、オークランドでショウをやり、そこからロスと一緒に、長い移動もいくつか挟む5、6回のショウのツアーに出発した。この長い移動の間に、私たちはスクラブルにハマったのだ。このゲームは4人でプレイできるので、ときにはSpitboyの4人で、あるときにはキャロラインが加わってカリン、ドミニク、私の4人でプレイした。エイドリアンはときどきロスの相手をしようとバンの助手席に座った。カリンは語彙が一番豊富で、それに攻撃、防御の戦略も知っていたのでほとんどのゲームで勝ち、私はいつも負けた。でも負けてもがっかりしてやる気がなくなることもなかったし、カリンが単語やスペルをチェックするために持ってきた辞書を開いたりもした。私たちはお互いに競い合うような一生懸命なプレイヤーではなく、必要なときにはゲームのセットについてきた説明書を読みながら、ただルールに従ってゲームをしていた。誰かが自分の番で長考しているときには、他の人は自分が入れようとしているスペースに駒を入れられないように願いながら、外の景色を見ながら、ときには本を取り出して読みながら、無邪気に次の手を考えていた。私はマオリ人の作家が書いた短編集をオークランドで買い、いつもそうするように、家からラテンアメリカ系女性作家の本も持ってきていた。

ロスは今回のツアーの運転手とマネージャーを数日こなして、私たちがパーティー人間ではないことを理解したので、私たちはキャーキャー喜び、もっと彼のことが好きになった。あるとき、ピクニックのベンチがある休憩エリアで足を伸ばして、大きなバゲットでおやつの時間を取ったあと、バンに戻るところだった。バンに乗ってすぐ、まだ車が発進する前に、カリンはスクラブルの盤を取り出して次は誰の番かを聞いた。これはスクラブルをやる上での大問題だった。ゲームを途中でストップして再開するとき、次の番が誰なのか、誰も覚えていないのだ。

「ドミニクは〝ＪＯＥ〟って置いたでしょ」私が言った。

「でもそのあと誰かやったよ」ドミニクがボードを見ている。

「ちょっとスコアシートを見てみる」キャロラインが言った。

運転席のドアをいじっていたロスが振り向いて、「きみたちはおばあさんの集まりみたいだなあ」と笑顔で言った。

私たちはみんな顔を上げた。カリンは膝の上にスクラブルの盤を広げている。

「まさかこんなだとは思わなかったよ。Spitboy のツアーを組んだときは、みんなひと晩中ずっと怒ってて、毎晩激しいパーティーをやって泥酔するんじゃないかと思ってたんだ」

「本当？　そんなこと考えてたの？」カリンが言った。カリンはいつも笑顔だ。

私たちは人が持つ Spitboy のイメージや、フェミニストの女性がハードコアをやることについての変な思い込みを聞くのが、いつしか楽しみになっていた。確かにスクラブルをやりすぎるのはおかしなことだったのかもしれないが。

「この集団は、セックス、ドラッグ、ロックンロールなし」誰かが言った。

「そうだね」 ロスは言った。「僕のおばあさんもスクラブルをやるんだ」

ロスのおばあさん――言葉や友人と遊ぶ時間が好きな年老いた女性に比べられる方がまだよかった。そして、私たちは誰で、何をして、それをどうやるのかについての決まり文句や固定観念を、Spitboyは歯牙(しが)にもかけないことが好きだった。

第17章

ホームシックの処方箋

Spitboyが行ったすべてのツアー――"10日間"ツアー、アメリカツアー2回、6週間のヨーロッパツアー、そしてパシフィック・リム・ツアー――中に私がキスしたのは、たったふたりだけだ。ベイエリアのパンクシーンにはデートやいろんな人とセックスすることについて、特に厳しい不文律（ふぶんりつ）のようなものはなかった。もしあったとしても私は守らなかっただろうけど。ただツアー時は違った。ツアーのときは、私はいつもとは違う気持ちになった。パンクロックのバンドは伝統的な意味でのグルーピーを引きつけることはないが、バンドの取り巻きの人たちはいるし、私をイライラさせる種類だが、バンドをやっているというだけで近寄ってくる人たちもいる。またSpitboyはデートレイプも心配した。

普通のバンドにいる普通の人たち、多くは男性だが、彼らはツアー中にいろんな人たちと寝た。私はまったくしなかったが、そういった男たちの気持ちも理解できた。月並みな言葉に聞こえるかもしれないが、ツアーに出ると寂しくなる。バンドとしてはメンバーと一緒にいるが、個人としては行く先々の新しい場所に圧倒され、そこでは旅行者は、ひとりの人間というよりも、珍しいものだ。私はパンクシーンでもアメリカでもいわゆるマイノリティだったので、あとたぶんまだ若かったのもあるが、どこかにとけ込んだという感覚を持ったことがなかった。バンドをやってシーンの一部になることで、おそらくそのとけ込む感覚を持てるのだろうと思っていたが、まったくそうはならなかった。そのせいもあって、私は他の人よりもツアーでの孤独に悩んでいたのかもしれない。Spitboy のメンバーの中で、バンの中でひとり座って、本を読んだり日記を書いたりしていることが多かったのは、間違いなく私だった。ヨーロッパツアーの終わりに、持ってきた本も全部読み切ってしまい、好きじゃなかったけど、エイドリアンが持ってきたスティーヴン・キングの『ジェラルドのゲーム』も読んだ。その本を読み終えたのは、ベルギーでの最後のショウの出番の直前だった。ただ断っておくが、ある夫が孤独や疎外感から逃れるために合意に基づくボンデージ・セックスを妻と始めたところ、荒っぽくなりすぎ、図らずもその女性は夫を殺してしまい、別荘にあるベッドに手錠をかけられた状態でひとり取り残される、という内容の本を、私はおすすめしない。

「ここに住んだらいいんじゃない？」　パシフィック・リム・ツアーで、カリンは水辺のある街を見るたびにそうもらしていた。オークランドの港を一望できる山の上で、シドニー湾のボートの上で。

「ここに住みたくない？　私は住みたいな」

「私も」　ドミニクも、特に景色がきれいなときはそう答えた。

私の答えは聞きたくないだろうということはわかっていたので、黙っていた。私が感じていた、パンクシーンから疎外されているという感覚は、私のいくらか隠している（クローゼット）民族アイデンティティから生じたものだということがそのころわかり始めたが、それを他のメンバーが理解するとは思っていなかった。

カリンがこの質問をしてくるまで、いかに自分がベイエリアでの暮らし——常にまわりにはラテンアメリカ系の人たちがいて、ストリートや街の名前もスペイン語が多い——に慣れきっていたのかを理解していなかった。そしてそのとき、サブリナに出会った。

パシフィック・リム・ツアーのときは、私は特定のパートナーも持たずオープン・リレーションシップだったが、他のツアーでもそうだったように、ツアー中は禁欲主義でいることを選んだ。このひとつの小さな過ちを除いては。サブリナはラテンアメリカ系の、女性だった。私は、「女性は安全」だと考えていた。現実に、女性といると問題に巻き込まれるリスクは少なかった。サブリナはSpitboyのショウを友人たちと一緒に遠出して何ヶ所か見に来ていて、そこで知り合った。ある夜私たちのバンで移動中、私とサブリナは隣同士で座り、ふたりの太ももは触れ、私の心臓はずっとバクバクしていた。エイドリアン、カリン、ドミニクは気づいていないふりをしていたが、私とサブリナはお互いをチラッと見て、サブリナは赤くなり、体をすくませ頭を引っ込めていた。会場に着いて、確かそこはメルボルンだったと思うが、私はできるだけ早く自分の機材――ハードケースに入ったスネアドラム、25パウンド〔約11キログラム〕あるシンバルのセット、スティックのケース――を搬入した。つまらないサウンドチェックを我慢して何とか終わらせ、暇そうにしていたサブリナの方へそっと寄って行った。

「散歩でも行く？」私は言った。

「いいよ」彼女は視線を落として笑った。

私はサブリナの腕をつかみ、一番近いドアへ引っ張って行った。私の方が年上で、経験もある。陽はもう落ちていたが、街灯を頼りに会場の裏へ行くと、気持ちが高ぶってもう膝に力が入らず、縁石に座った。一緒に座りながら、サブリナはシドニーでの生活や家族について話してくれた。サブリナの肌はなめらかなオリーブ色で、ふわふわしたニット帽をかぶっていた。サブリナはオーストラリア生まれだったが、民族的にはアルゼンチン人だった。彼女の家族はオーストラリアで何をしていたのか知る由（よし）もないが、ただ彼女がそこにいてくれて嬉しかった。そしてもうそれ以上話すことも見つからない私は、彼女にもたれかかり、その口にキスをした。サブリナは、堅いドラマーの体に彼女の柔らかい体を寄せてもたれかかった。

せいぜい12人くらいしか仲間のいなかったトゥオルミの小さなパンクシーンで育った私は、自分の見た目にまったく自信がなかった。狭くてやせた肩と青白い肌の方がかっこよかった。トゥオルミの男たちは私のことを可愛いとは言ったが、肌の色が黒すぎるともよく言ってきた。少し大人になって自分のアイデンティティが成長してからは、自分がメキシコ系であることや、角張った体格のことを恥じることはもうなくなった。ただその若いころの自信のなさのせいで、特にツアー中は慎重になった。バンドをやっているというだけの理由で、誰かが私のことを魅力的だと言ったり興味を持ってくるのは、私がそれまで経験してきたこととは真逆だった。だから私は自分自身のルールを作った。たとえ独り身でも、ツアー中は誰とも寝ないというルールだ。知らない人からハグされたくなかった。そして私は絶対に知らない人とはセックスをしなかった。なぜなら、もししてしまったとしても、それはただ私がバンドをやっているから、私がSpitboyのドラマーだから、その相手は私とセックスしたかっただけだろうということがわかっていたから。

第18章

サウンドチェック、レズビアンたち、長いセット

ツアーに出ることで、もしかしたら自分は並行宇宙にいるんじゃないかと感じるときがある。毎回異なる場所で、ルールは変わり、バンドはそれぞれの新しい〝銀河〟の代表者の知識や手引きに頼らなければならない。文化的な無知や言語の障壁のせいで、ルールは変わることもあった。フランスにいたとき、私は何かフランス的にひどく間違った行動をしてしまうのが怖くて、フランス語を話すカリンにべったりくっついていた。日本で泊めてくれた人たちの家で、他のメンバーは全員入り口で靴を脱いだのに、エイドリアンは厚ぼったい皮のブーツを履いたまま、思いがけず畳に上がってしまった。

アメリカではSpitboy は30分以上のセットをやった

ことはなく、いつもオールエイジのショウで、物販ではTシャツを1枚5ドルで売っていた。Tシャツは自分たちでプリントしただけでなく、プリントをするための古着Tシャツをスリフトストアで探すのにかなりの時間を費やしたこともあり、5ドルという安い値段を維持するのは大変だった。ただスリフトストアでは、もっといい古着Tシャツが手に入ることがわかった。プリントしようと最初に買ってみた新品のヘヴィーウェイトのTシャツは、ダボっとしていて女性には似合わなかったし、おまけにそれを着ると暑すぎるからライブには向いていなかった。でもスリフトストアでは、ベースボールTシャツ、スクープネックTシャツ、女性用サイズのTシャツ、それに男性的なレズビアンや男性が買いそうな、ほどよいダメージ感のあるTシャツを見つけることができたのだ。しかし日本へ行く前には、日本では誰も古着のTシャツなんか買わないことや、あと最低でも1枚10ドルで売らなければいけないと言われてしまった。

物販用のTシャツを注文することは、自分たちでプリントするよりもちろん楽だった。自分たちでプリントする場合は、ツアー中にTシャツが売り切れたときには新しく刷る時間と場所を見つけないといけない。あるときニューオリンズで、私は体調が最悪でライブをするのもきつかったのだが、そのショウでTシャツが売れてしまったので追加でプリントしないといけなくなった。ショウが終わって、私はどこかの道に停めたバンの中で寝ていた。他のメンバーは、そのショウの企画を手伝ってくれた女性、シャノンの家に行く前に、酒を飲みにフレンチ・クォーター地区へ歩いて行った。シャノンはニューオリンズ郊外のどこかに両親と一緒に住んでいた。頭がはげかかって、お腹も出たシャノンの父は、翌朝Tシャツ作りを喜んで手伝ってくれた。

DIYのTシャツのスクリーンプリントは手順が多い。すべてのTシャツは1枚ずつプリントしないといけないし、ツアーに出ていてプロ用の道具や大きな洗面台がないときは、少なくとも3人の人手が必要だ。まずシャツにプリントするのにふたり必要で、1人はスクリーンの枠を持って固定し、もうひとりがスクリーンの上にインクを広げてTシャツにプリントをする。3人目はプリントしたてのシャツを、物干しやそこそこきれいな地べたに置いて乾かす役だ。4人目がいれば、箱から次のシャツを1枚取り出して、プリントする面に配置する係をやる。プリント担当は手にインクがつく運命にあるから、新聞紙を幾重にも敷いたテーブルで作業するのが理想的だ。またプリントすればするほど、乾かす場所や物干しはたくさん必要で、Tシャツを置く場所はだんだんと遠くなっていく。普通はインクが乾くのにかなり時間がかかるうえ――夏の屋外であれば1~2時間で済むけど――、乾いたあとにはインクを定着させるために、さらに乾燥機にかける。私がプリントするとインクが飛び散ってめちゃくちゃになるので、乾かすのがだいたい私の役目だった。プリントされたシャツを一列に並べ、そこから乾燥機に持っていき、乾燥が終わったら取り出す。10時かそこらの朝早く、暑いニューオリンズの太陽の下、私はシャノンの家の庭で枯れ草を踏みつけながらTシャツを物干しに留め、そこには裸の女性の列が風ではためいていた。

次のショウの場所まで行くのに、いつも最低でも3、4時間、多くはそれ以上の時間をかけて車で移動するので、ショウに間に合うように、Tシャツをプリントするときは朝早く起きて、プリントして、乾かして、たたむという作業を終わらせないといけなかった。シャノンの父は熱心に手伝ってくれた。キッチンのテーブルをプリント台に使わせてくれ、作業を順番にやってくれた。

「出来がよくないな」初めてプリントをやってみて、シャノンの父はそう言った。アートワークの女性の乳首が彼を凝視している。「もう一回やらせて」

プリントのコツを掴むのには少し練習が必要なこともあり、彼はTシャツのプリント担当はすぐに諦めた。でも私は今でも、短パンに靴下姿のシャノンの父が、リビングの床、安楽椅子の隣であぐらをかきながら、Spitboy のTシャツをたたんでいる写真を持っている。彼の横にはTシャツの山だ。

ヨーロッパでは、Tシャツは問題にはならなかったが、長い時間のセットをやることと、サウンドチェックをするように言われた。私はサウンドチェックが嫌いだった。サウンドチェックをすると、自分がニセモノのように感じた。サウンドチェックのときは全力で演奏することはない。1曲まるっと演奏することすらないときもある。ただすべてのレベルを正しく把握するためだけの、形式的な作業でしかない。ドラムの音がギターやベースを消してしまうことは許されないし、ヴォーカルは最優先だ。Spitboy は全員が歌うのでマイクが4本必要で、それもまたチェックしないといけなかった。それからモニターからのヴォーカルの音量のチェック。小さなホールやクラブはそもそもライブ音楽のためには設計されていないので、サウンドチェックはまったくムダな作業のように感じた。しかも実際のショウになると、大半の場合はサウンドチェックでは聞こえていた音がモニターから聞こえなかった。これは自分だけでなくメンバー全員がよくそう感じていた。サウンドエンジニアは大変な仕事で、おそらくミュージシャンからは嫌われているとよく感じているだろう。たくさんのミュージシャンがエンジニアに対して、「モニターにもっとヴォーカルを」とか「ギターがうるさい」とか要求しているのを何回も見たことがある。

おまけに、トリのバンドは普通は最初にサウンドチェックをやらないといけなかった。私が思うに、トリのバンドにはショウの前にリラックスできる時間を一番多く与えるためだろう。でもそれはすなわち、早くに会場に到着する必要があるということだ。もちろんその日のサウンドエンジニアがレベルを頭で記憶しようとするのではなくて、ちゃんとサウンドボードにテープを貼って、鉛筆で書き留めてくれることを願いながら。サウンドエンジニアはミュージシャンに自分の仕事について説明することはないし、その逆に、ミュージシャンがエンジニアに自分たちのやり方を伝えることもまずない。本当のところはわからないけれど、サウンドチェックでやったことが、自分たちの実際のセットのときにまったく反映されていないと感じたことも何度かあったが、そんなときでも私はあまりがっかりしないようにした。しょせんはパンクのショウだ。とにかく私はサウンドチェックが嫌いだった。ドラムのチェックはギター、ベースやヴォーカルよりも時間がかかるからだったのかもしれない。ドラマーは普通、ひとり座り、エンジニアからの指示を待つことになる。

「バスドラム」　エンジニアはいつもバスドラムからチェックを始める。

普通はハコのステージの反対側にあるサウンドブースを見つめながら、ドスッ、ドスッ、ドスッ、ドスッと、4回バスドラムを踏む。私に話しかけているエンジニアの姿が見えるといいが。

「スネア」

バシッ、バシッ、バシッ。休止。バシッ、バシッ、バシッ。

「左のタム」

ドン、ドン、ドン。

「OK、右」

ドン、ドン、ドン。

いつもすごく退屈になり、他のメンバーが何をしてるのか、どこにいるのか、何を話してるのかが気になり始め、私のことを話していないか不安になる。

「フロアタム」

ドスッ、ドスッ、ドスッ。休止。ドスッ、ドスッ、ドスッ。

「全部一緒に」

エンジニアが「全部一緒に」と言うときは嬉しかった。数秒だけだが、ようやくドラムが叩けるのだ。ドン、タッ、ドド、タッ。だいたいここでバンドの残りのメンバーがステージに現れ、楽器を手に取る。それでエンジニアは同じようにギター、ベース、次にエイドリアンのマイク、私のマイク、あと2本のマイクと順にチェックする。そこでようやく全員で曲を演奏するわけだが、すべてのマイクを使う曲をやらないといけない。そして曲の半分くらいのところでエンジニアはストップの合図を出す。自分たちの曲を途中で止められるのは誰もいい気がしないだろう。ようやく調子が乗ってきたところで止められるのは特に。

サウンドチェックを早くにやらされ、ショウのスタート時間までは数時間。いつも観光は早々に切り上げたが、31日間に28回ショウをやる忙しいスケジュールでは観光する時間すらあまりなかった。ドイツのとあるユースセンターでのショウで、サウンドチェックの時間になんとか間に合い、私はドラムセットを前に座って、他のSpitwomenはどこにいるのだろうと思っていた。このときほどこの表面的でムダな作業が嫌だと思ったことはない。私の心はユースセンターの公園にあるブランコの方へふらふらと向かっていた。バンは公園の中にある小さな遊び場の近くの駐車場に停めたが、そこのブランコを見て、ひとりで座ってゆっくりしたいと思ったのだ。でももうサウンドチェックに遅れる時間だったし、サウンドエンジニアを怒らせたくもなかったし、言うことを聞かないわがままなバンドにもなりたくなかった。

アメリカに戻って、Spitboyは30分のセットを続けた。私たちの目的はステージ上で自己満足するロックスターになることではないし、私たちは重要な、でも音の大きいメッセージを伝えたかったから、やはりステージに上がったら30分間そのメッセージを伝え、それが終わったらさっさと立ち去るのがベストだと決めた。願わくは見に来た人たちがもっと聞きたいと思うようなメッセージを届けるのだ。ツアーでイングランドに着いたとき、イングランドやヨーロッパでは、聴衆はもっと長い時間のセットを期待していると、着いてすぐにピート・ザ・ローディーとCitizen Fishに優しく言われた。遠くからやって来たのにもし30分しかライブをやらなかったら、聴衆は小バカにされたと感じるかもしれないらしい。アメリカでは誰が何分ライブをやろうが誰も気にしないだろうし、アメリカのほとんどのクラブはサウンドチェックを必要とするような立派な音響設備もなければエンジニアもいない状況だったかもしれないが、私たちはその長いセットのことを理解した。アメリカでは逆に、バンドはよく◯分以上はやらないでほしいと頼まれることがあったが、Spitboyはいつも、「ああ、心配しないで。それよりもっと早く終わるから」と答えていた。

おそらくSpitboy史上最も奇妙な出来事は、イタリアのこのショウで起きた一件だ。ある日、長い車移動のあと、太陽が昇る前の朝早くに素敵な天然温泉に行った。温泉から漂(ただよ)う腐った卵のような硫黄のにおいにはかなり閉口したが、最後にシャワーを浴びてから3日は経っていたし、起きるのを嫌がったエイドリアンとポーラを残し、カリンと私は服を脱いで裸になって、ノルデとエリックと一緒に熱いお湯の中で疲れた体を休めた。頭上には石橋がそびえ立ち、そばには小川がゆるやかに流れている。その温泉に入った前の夜は、ローマにあるスクワット(空き家占拠)の城、〈フォルテ・プレネスティーノ〉で、イースターの週末の日に500人を前にライブをした。そのショウは、城の食堂でのベジタリアン、ヴィーガン料理から始まり、ステージの高さは8フィート〔約2.4メートル〕くらいあったので、ポーラと私はノルデ、ピート、エリックに押し上げてもらわないと上がれなかった。とても高くて広いステージで、ドラムはあまり奥に置かないことにした。他のメンバーは観客の上にそびえ立っているみたいだったが、ドラムの位置からはフロアはほとんど見えなかった。

イースターの週末のバチカンでの抗議行動で、人工妊娠中絶合法化支持(プロチョイス)のデモがあり、デモ参加者の多くはそのままスクワット城での私たちのショウにやって来た。その女性たちの多くはデモで使ったプラカードや、中絶合法化支持のメッセージが書かれたTシャツを着ていた。なので私たちのセットで、曲の間にこの声が聞こえたときは会場にいた全員が驚いた。

「あなたのマンコを舐めたい！」

私からは遠すぎて、何が起きているのかわからなかった。次はカリンのギターから始まる曲だったが、ギターの音は聞こえてこない。

その言葉にショックを受けて、カリン、ポーラ、エイドリアンと、袖にいたピート、ノルデ、エリックはステージの端に移動し、誰がそのひどい一言を言ったのか探そうとした。アメリカで起きそうなことと正反対のことが起きたとポーラが言う。ステージのすぐ下にいた、固まった表情の男の観客たちが、海が割れるように道を開けた。そしてその先には、レズビアンの集団がいた。

「あなたのマンコを舐めたい！」その集団のひとりがデモのプラカードを振りながら、エイドリアンにもう一度言った。

ステージに戻り、カリンは次の曲を弾き始め、残りの3人はそれに続いた。ピート、ノルデ、エリックは、もめ事も起きず、みんなで一緒に安堵のため息をついていただろう。3人はSpitboyが自分たちのために男性が代わりにケンカをすることや、またその男性たちを保護者と考えなければならないことは好きではないのを理解していた。ただ私たちは、彼らにステージの上や近くにいてもらい、必要なときにはタフな雰囲気を出すことが、ある種の抑止になっていたこともわかっていた。でもエイドリアンに熱を上げている熱狂的なレズビアンたちにはこの3人も役立たなかった。私たちは本当に並行宇宙に入ったのだった。

第19章

荒い生存

4人の女性が直球のハードコアをプレイするというSpitboyが、パンクシーンにおいて例外的なバンドだというのなら、メキシコやウルグアイからやって来たシカゴ在住の4人のラティーノによる、スペイン語で歌うハードコア・バンドのLos Crudosは、さらに例外のバンドだと言える。その場所のことは覚えていないが、Los Crudosのヴォーカルのマーティンが言うには、Los Crudosがオークランドのどこかの家の裏庭でライブをしたときに、私たちは初めて会ったらしい。彼らのセットが終わってすぐに、私は自己紹介をしたのは覚えている。みんな褐色の肌で、汗できらきら光っていた。それから、当時私がエイドリアンと住んでいた、「マキシ・パッド（生理用ナプキン）」と呼んでいたパンクハウス——女性が借りていた家だからそう呼んでいた——に泊まっていかないかと伝えた。マーティン、ホセ、レニン、ジョエルと私は、木の床が反ったキッチンにある中古のダイニングテーブルのまわりの、デザインがバラバラのいすに座り、夜遅くまで話し込んだ。彼らのような見た目の人間——短髪、長髪、ピンク色の髪、あごひげ、汚れたジーンズにバンドTシャツを着た、アメリカ中部の褐色肌のパンクス集団——がツアーに出て、移動中に立ち寄ったガソリンスタンドで一斉にバンから出てくるなんて、どんな感じなんだろう。マーティンはジョエルが、自分の服をコインランドリーで洗うのに柔軟剤を買ってほしいとバンドに頼んだことをからかっていた。

ベイエリアのパンクシーンでは、Los Crudos のようなバンドの登場は誰も予想していなかった。特に私はそうだった。アメリカにおけるラティーノ・パンクのバンドとしては、LAのZeros のようなバンドはいくつか存在してきたが珍しく、ラティーノ・パンクのバンドはすべてLAにいるようなイメージだった。もちろんイーストベイのシーンにもラティーノ・パンクスは少しいたが、多くは白人としてパスしているか〔「パス」については141ページの訳注を参照〕、単に自分の民族的アイデンティティについて話さないことを選び、数人はパスできなかったか、もしくはパスしようと試すことさえしなかった。私は白人として通ることはまったくなかったが、自分のチカニスマ（チカーナのアイデンティティ）を声高に主張するのか、それともそれをひとりでやるのは消耗しすぎるからみんなに合わせるのか、そのふたつの間で揺らいでいた。そこにLos Crudosが現れ、ラティーノの問題をスペイン語で歌ったのだ。

　身勝手だということはわかっていたが、彼らがベイエリアにやって来るときはいつもうちに泊まるように持ちかけ、確か豆と米のベジタリアン料理を作って出した。彼らのすべてを独り占めしたかった。

　マーティンと私はすぐに仲良くなった。私たちはまるで長い間はなればなれになっていた親戚のようで、ふたりの失われた時を取り戻そうと、朝まで話し、笑った。私は切れ味の悪いハサミでマーティンのポニーテールをひと断ちし、髪を切ってあげた。Los CrudosのTシャツをプリントして、庭の生垣に並べて乾かし、ツアーの終盤に彼らのバンが壊れたときには私の車を貸し、その車で彼らはツアーをやり遂げ、そして私は、Los Crudosのショウには行ける限り行った。

　Los CrudosとSpitboyの結びつきもすぐに強まり、またCrudosのギターのホセとの関係も必然的に生まれた。ホセと付き合うまでは、私はバンドをやっている白人の男としか付き合ってこなかったし、それをどこかで自己嫌悪していることもわかっていた。私の母は、悪人だった私の父のあとはラティーノの男たちと付き合うのをやめたが、私には特にそんな理由もなかったので、まわりにラティーノがあまりいなかったこともあり、別にラティーノとデートしなくてもいいんだと信じ込んでいた。ホセと私の関係は、私自身が自分の複数のアイデンティティ——Spitboyのドラマー、フェミニスト、チカーナ——にようやくしっくりき始めたときにスタートした。それでもホセとの関係は、バンドの活動とできる限り離しておかなければならないと思っていた。Spitboyは音楽と恋愛を混同したり、男性によって律されるのが嫌だったから。

１９９５年にSpitboyはLos Crudosとのスプリット・レコード、『Viviendo Asperamente』をリリースした。インターネットやEメールがまだ広まっていない時代、レコードのタイトルやジャケットのアイデアなどは電話で決めた。タイトルはマーティンの案だった。このレコードを出すことになり、両バンドでふたつのことをすぐに決めた。レコードのタイトルはスペイン語であること。ジャケットの画像は女性、ラティーナであること。タイトルの『Viviendo Asperamente』は「荒い生存」という意味だが、この言葉はどちらのバンドの曲の中身も捉えていたように思う。ラティーノの闘争。フェミニストの闘争。そういった意識を持って生きていくことは、多くの場合は、神経をすり減らし、困難で、苦しいことだった。自分のことを目に見えない存在だと感じながら長い間生きてきて、私に似た女性の写真をレコードのジャケットに使うことは、個人的な勝利のように感じた。でも他にもよく考えないといけないことがあった。ことを混同しないように、レコードのブックレットに、私はメンバー個々人の名前ではなく、Los

Crudosというバンドに対して感謝の言葉を載せた。また、本当はそうなってほしくないと願ってはいたが、ホセとの関係は長続きしないということも自分でわかっていた。Spitboyはまだ活発に動いていたし、たとえLos Crudosのギターのためであっても、私はカリフォルニアを離れるつもりはなかった。結局、私から別れを切り出すことはなかったが、これがきっかけで自分のことをよく理解できたのと、恋愛関係について、自分の意思で決めることが大切だと学んだ。

最も愛されることになった1990年代のハードコア・バンドのひとつとスプリットのレコードが出せて、Spitboyが一番得をしたと人は言うだろう。それはそうなのかもしれないが、このレコードにはそれ以上のものがある。SpitboyとLos Crudosは、明確なメッセージと固い意志を持ち、カリスマ的で、人に好かれる、お互いに似通った存在のバンドを見つけたのだ。このレコードは、お互いのことを褒め称え合い、両バンドのメッセージと音が手を組んで生まれた作品だった。

Los Crudosは自分たちのやり方を、すべてのよきパンクスの心に向かって叫び、彼らの母語であるスペイン語でクソったれと歌うことで、またその激しさで、人々に衝撃を与えていた。私自身も含めてスペイン語が上手でない人たちは、もしLos Crudosが何について歌っているのかを知りたかったら、スペイン語の歌詞の翻訳を読まなければならなかった。そしてこれはものすごい皮肉だが、ニューヨークからシカゴ、デトロイトからリノまで、多数を占める白人のパンクスたちは、Crudosのショウでは彼らの曲をスペイン語で一緒に歌っていた。私はその光景がまるで信じられなかった。

1998年の7月、Spitboyが解散して2年後、数ヶ月前に結婚したばかりの私は、Los Crudosのショウに夫のイネスを連れて行った。自分でもまったく想像もしていなかった行動だった。イネスはそれまでパンクのショウに一度も行ったことがなかったが、彼も他の人たちのようにLos Crudosのことが好きになると確信していた。ショウの間、私たちはステージの脇に立っていた。私が〈ギルマン〉でショウを見るときの定位置だ。黒いニットキャップをかぶったイネスは、目を大きく開いてLos Crudosを見ていた。マーティンが飛び回りながら、叫びながら、誠実にパフォーマンスする様子に、イネスの目は釘づけだった。マーティンがプロポジション187〔94年にカリフォルニア州の住民投票で可決された、不法移民に対して医療、教育サービスを停止することを目的とした法案〕のラティーノ・コミュニティへの影響について話すと、イネスはうなずいていた。ホセに彼を紹介するのは正しいことでも気詰まりだったし、ラティーノを見分けられないパンクスには気まずい思いをさせられたが、彼をショウに連れてきて本当によかった。

Crudosがセットを終えて機材を片付けたあと、マーティンにいいショウだったと伝えようと思い、イネスと私はステージの近くに立ち、マーティンのまわりに集まった人たちが引くのを待っていた。すると若い白人のパンクスがやって来てイネスの背中を叩いた。

「いいライブだったぜ」　その若いパンクスは笑顔でちょこんとお辞儀をした。

イネスは私の顔を見てから、その若いパンクスの方を向いた。

「ホントかっこよかったよ」　イネスが聞いているのか確かめるような顔で、その男は言った。

イネスはまた私の顔を見た。

私は肩をすくめる。

「ありがとう」とイネスは言った。マーティンだったらそうするだろう。イネスはその男に早く立ち去ってほしそうだった。

これは前進なんだと思った。たった数年の間に、ベイエリアのパンクシーンにいるラティーノたちは、透明人間からLos Crudosのメンバーに間違えられるまでになったのだ。

その夜私たちは家に帰り、以降私は〈ギルマン〉には13年行かなかった。Los Crudosに対するパンクシーンの熱狂は、私にとって、またおそらく他の多くの人たちにとっても、遠回しに自己を認識するためのひとつのかたちだった。でもパンクシーンは、アメリカ社会のように変化がおそろしく大きくて早い。そしてその変化を待つ時間も忍耐も、私にはなかった。

第20章

日本人になる

カリンはニュージーランドやオーストラリアのそこらじゅうで、「ここに住みたい？」とみんなによく聞いたが、日本に住みたいかどうかは誰にも聞かなかった。日本には独特のものがたくさんあるが、でも私はここに住めるような気がした。日本に行くまでは思いもしなかったが、Spitboy がツアーした数々の場所の中で、自分の「住みたい場所」を見つけたような気がしたのだ。

アメリカを発つ前、Tシャツの値段を安くしすぎると日本のファンは買わない、ということを企画者に言われた。日本のファンは、スリフトストアで買った古着のTシャツに自分たちでプリントしたようなものは絶対買わないと教えられ、パシフィック・リム・ツアーの準備中に私たちはちゃんとした店にTシャツを注文した。古着のTシャツはいらないというのはなんとなく理解できるが、安すぎると買わないというのはまったく意味がわからなかった。でも物販を売るのは習慣だし、何か売ることで、アメリカからやって来た女性のパンクバンドを見た、という体験を長く感じてもらえるだろうから、プロに作ってもらったTシャツをあらかじめ日本に送っておいた。私たちが普段Tシャツを売る値段より高い値段で売るんだから、その費用も賄(まかな)えるわけだし。

資本主義的なカルチャーショックは別として、私は不思議にも日本は居心地がいいと感じた。フランスの言語の壁や、とある傲慢(ごうまん)なフランス人に批判される恐怖にすくむ思いをしたヨーロッパツアーから2年の間に、私は多少成長していた。日本には英語が話せる人がいることも知っていたが、私が日本語が話せないことは問題にならなかった。でも通訳なしでひとりでお店に行くと、すべてのやりとりを手ぶりやおじぎで切り抜けなければならず、頭に浮かんできたスペイン語を話したくなる衝動を毎回抑えなければならなかった。アラバマ州オーバーンからベイエリアにやって来た友達、ケン・サンダーソンは日本語を何年も勉強していて、日本に行くSpitboyに旅で必要な表現を教えてくれた。おにぎりを買いに行くお店(普通は24時間営業)で必要なフレーズや、電車に乗るときに必要なフレーズ、あと、「ヨロシク」や「ジャアネ」など、ショウの対バンの人たちに会ったときに使えるくだけた表現も教えてくれた。オーストラリアから日本に向かう飛行機で、私はそのフレーズを復習して、自分で会話できるように、少なくとも最悪に無礼なアメリカ人にだけはならないように準備した。でも飛行機を降りてすぐ起きた出来事に対しては、何も準備していなかった。

Spitboyが行くところどこでも、普通はエイドリアンが最初に見つけられた。エイドリアンはいつも一番ワイルドな髪型や服装で、メインのヴォーカルにぴったりの「私を見て」的性格だったから。カリンはすてきな笑顔で、ドミニクは背が高いので目立った。でも日本で飛行機を降りると、突然すべての注目は私に集まった。

「ポカホンタス！　ポカホンタス！」

この大声が一体何を意味するのか、私たちにはまったくわからなかったが、その声の先を見ると、10代の日本人が私を指差して叫んでいる。

ディズニー映画『ポカホンタス』はその年に公開され、かなりの影響を与えていたようだ。私はそんなことも知らず、関西空港にいた人たちはみんな私たちの方を振り返って、私を凝視し、指差し、お互いにひそひそと何か話していた。

冬だったオーストラリアを出発する前に日本の天気予報を確認すると、その週はずっと、かなり暑いということだった。なので私は涼しい格好をして、肩まである髪は三つ編みにして左右に分けていた。

始まりはこのように気まずいものだったが、それでも私は他のメンバーよりも日本にうまく慣れた。お店のおじさんたちは他のメンバーよりも私に優しく接してくれ、あとパンクバンドをやっている男性たちには魅力的な人が多かった。彼らの多くが私のように浅黒い肌で、頬骨が出ていて、小さくてたくましい骨格を持ち、アーモンド型の目をしていた。路上の自動販売機でアイスコーヒーを買うこともできた。「ボス・コーヒー」というブランドは、アーネスト・ヘミングウェイがパイプをくわえているようなデザインのロゴだ。

ツアーの主催者、ナオキは、親切に案内してくれ、日本文化について――彼が思うに、私たちにはなじみがなく、ビックリするようなものを――説明してくれたり、古着のTシャツを売ってはいけないなど、文化的な不作法をしないように協力してくれた。伝統的な日本の温泉で、当時の日本ではヤクザしかしていなかったタトゥーをしている私たちが風呂から追い出されないか、ナオキは心配してロビーで待ってくれていた。浴場の出口からみんなリラックスして出ると、ナオキがロビーの噴水の近くを行ったり来たりしていた。ナオキはこのツアーのすべてを企画してくれたが、日本で企業やマネージャー、プロモーターの力なしに、DIYでツアーをやるのは非常に難しいことだ。おまけにナオキは私たちに観光を楽しんでもらいたがったので、温泉に行くなとはもちろん言わなかったし、一度ではなく何度も、サンリオの遊園地に行くことを提案してきた。

「なんでナオキは私たちがハローキティを見に行きたいか、何度も聞いてくるんだろう?」

カリンが疑問に思って言った。その日はオフで、私たちは東京の郊外の市川にある彼のアパートにいた。

私も少し変だなとは思ったが、ちょっと可愛いなとも思ったので、何も答えなかった。

「それって、私たちが女性だから？　私たちはハローキティが好きなタイプの女の子？」カリンが続ける。

日本がかなりカルチャーショックだったエイドリアンは笑った。「さあ、わからない」

エイドリアンはこういうときは、批判的になったり答えを知っているふりをするよりも、ただ笑うことが多かった。私はその態度にいつも感心した。

「たぶんナオキはもてなそうとしてくれているんじゃない？」ドミニクが言う。

私たちはすでに一度断っているのに、それでもナオキはサンリオ・ピューロランドに行きたいかと誘ってくるので確かに変だなと思ったが、ドミニクの言うことに賛成だったので私はうなずいた。

私たちは誰も知らなかったが、その遊園地はオープンしてまだ数年しか経っていなかった。なので当時まだかなり新しいアトラクションではあったけれど、私たちは、茶室、富士山、すし屋、あと扇子、着物や酒のグラスが買える浅草の路面店のような、もっと「本当の」日本の名所が見たかった。口には出さなかったが、サンリオ・ピューロランドに行っても別に構わなかった。でもトゥオルミで育ったときと同じように、ノートやペン、マグカップや筆箱など、あまり必要でないハローキティのグッズを買うお金はなかった。トゥオルミ郡の郡庁所在地ソノラにもサンリオストアはあったが、そのお店は数ヶ月しかもたず、これは買わなきゃと思っていたハローキティの顔型コインケースを買うお金が貯まる前に、潰れてしまった。

サンリオ・ピューロランドに行きたいとは一度も認めなかったけれど、他の誰よりも日本を楽しんでいて、透明人間の感覚もここでは減っていたので、私はたぶんよく得意げな顔をしていたと思う。日本ツアー中、An Apology Nature Arise のドラムの若い女性、まるでハローキティが人間になったように小さくて可愛くて、ドレスを着たアニメのキャラみたいなその女性が、私と会ったときに膝から崩れ落ちて泣き出したことがあった。An Apology Nature Arise は名古屋で対バンしたバンドで、彼女たちはショウの前に私たちに会いたかったようで、ナオキがショウの数時間前に、その日の会場の〈ハックフィン〉の前の道で集まりを段取りしてくれた。そのバンドは女性と男性のヴォーカルがいて、ドラムも女性だった。私たちが紹介された瞬間に、そのドラムの小さな女性――私より背が低く、ほっそりしていて、可愛い丸顔で、短いスカートをはき、髪にはリボンがたくさんついていた――は、突然泣き出し、私をハグして、歩道にばたっと倒れてしまった。

どうしていいかわからず、他の人と一緒に彼女を起こそうとした。彼女はすすり泣きながら、女性ドラマーの私に会えるのが、またフェミニストのメッセージを勇敢に広げる、彼女たちの手本となるSpitboyに会えることがとても光栄なことだと、ナオキの通訳を通して語ってくれた。この女性が私の腕の中で泣いているとき、エイドリアン、カリン、ドミニクも衝撃を受け、お互いの顔を見合っていた。あとになってナオキが説明してくれたが、日本人は一般的に内気な人たちだが、感情を表すときにはかなりドラマティックになることが多いそうだ。感情をそれぞれ異なった方法で異なるときに表現する、女性のバンドをやっている身としては、このナオキの説明は一理あったが、でもまだ私たちはしっくりこなかった。この一連の出来事のあと、私たちはしばらく誰も言葉を発さなかった。そして私は自分が浴びる注目についてあれこれ言うべきではなく、バンド間でのこの高まる緊張のさなかに、「ここに住みたい」なんて言わない方がいいと感じた。

非西洋の国である日本は、Spitboyを試した。ツアーの主催者たちは私たちが歓迎されていると感じるように動き、何事にも気を配ってくれたが、私たちはどれだけ自分たちが西洋のやり方に慣れてしまっているのかを理解すること、またそれを認める覚悟ができていなかったのかもしれないし、そこまで大人じゃなかったのかもしれない。そしてそれが、すでに大きくなっていた私たちの間の不和を加速させた。ツアーに同行していたレーベルEbullitionのオーナー、ケント・マクラードは、どこに行っても、どんなことにでも批判的な人で、まったく何の助けにもならなかった。私はポジティブにいようと努め、ケントやエイドリアンが乗る車には乗らなかった（日本ツアー時はバンがなく、ホンダの小さな車3台で移動した)。ふたりの日本に対する冷めっぷりは私に向けられているように感じたのだ。私がバンドの中で一番日本を心地よいと感じていることは、長い間私が抱えてきたある思いを強めた。これまでバンドの中で重要な役割を担ってきたけれど、それでも私は他のメンバーとは、ある意味とても大きな点で違っているという思いだ。もちろん私もうまく対処できなかったのはわかっている。シーンにいる有色の人間として、レイシズムに対する怒りや、うまくまとまらず、説明できなかった不快感は、ときどきエイドリアン、カリン、ドミニクに向けられた。そうすべきではなかったのに。

日本ツアーのさなかに、エイドリアンが他の3人にバンドを辞めようと思っていることを伝えた。自然なタイミングだった。私たちはナオキの家にいて、エイドリアンはバンドを辞めることをここしばらくの間考えていたと言った。私は驚かなかったが、自分の中で大きくなっている沈黙のガンをまだ認めることもできない状態で、打ちひしがれた。なぜなら、バンド以外のことで自分のアイデンティティを探し始めてはいたが、私のアイデンティティや自意識は、結局Spitboyのメンバーであることと強く結びついていたから。エイドリアンが困難を抱えていたのは、日本にいたことだけが理由ではないかもしれない。彼女もまた、「Spitboyのエイドリアン」でいることのプレッシャーを抱えていたのかもしれない。それとも私たちの関係がさらに悪化し、ばらばらになる前に、バンドを去りたかったのかもしれない。

第21章

スピットボーイ：創造の物語

彼女は覚えていないが、エイドリアンと私は、実は1987年の秋、私たちがSpitboyを始める3年前に会っていた。その夏私はヘイト・ストリートをぶらつき新しい友達を作ったりしていたが、シティカレッジの新学期が始まり、私はもうすでに成績が悪くて退学まっしぐらの状態だった。エイドリアンもシティカレッジに通っていた。彼女はベイエリアのポリティカル・パンクバンド、Christ on Paradeのギターのダグと付き合っていて、ふたりで一緒に授業を受けていた。ある日キャンパスで、スージーがダグを見つけ――〈ギルマン〉でChrist on Paradeを見て顔を覚えていた――、私たちふたりはエイドリアンとダグに自己紹介をした。田舎娘だった私たちは、まだ「都会のルール」というものがよくわかっておらず、ライブを見たバンドの人に学校で近寄って話しかけるなんていうことが、もしかしたらとても変なことなのかもしれないとすら思ってもいなかった。

ダグはパンクの憧れだったし、エイドリアンは黒くて長いスカートにゆったりした上着、それに編み込みの髪がとてもかっこよかった。ふたりが学校に通っているというのもクールだと思っていた。私は自分が学校で何をしているのかよくわかっておらず、学校の制度もよく理解していないし、そこが自分の居場所なのかどうかすら不明で、長くはいないだろうと感じていた。私が本当にやりたいことは、Christ on Paradeのようにバンドをやることだった。そのためにスージー、ニコル、私の3人、Bitch Fightは、トゥオルミからサンフランシスコへ引っ越した。学校に行くのはいいことだとわかってはいたが、そのときはそれが中心ではなかった――のちにそうなったけど。

次にエイドリアンと会うまで3年の時間があったが、その間に私は完全に別の人間になったようだった。18歳、19歳、20歳のころは、変化の幅は大きく、そのスピードもとても早い。Bitch Fightが解散して、ドラムで何か新しくバンドをやりたいと考えていた。でもKamala and the Karnivoresに誘われ、下手なギターを弾くことになった。私には仲間らが必要だったし、おまけに彼女たちはなぜだか私に対して心が広かった。

エイドリアンと私は、当時の私のボーイフレンド、ニールを介して改めて会うことになった。

ニールはのちにベースを覚えて自分のバンド、Paxston Quigglyを始めた。ニールはダグと親しく、ダグとエイドリアンがレコーディングしたテープをどこかで手に入れて私に聞かせてくれた。その声はのちのSpitboyでの声と同じものではないが、私はすぐにエイドリアンの声に魅了され、エイドリアンが私と一緒に新しいバンドをやる気があるかを確かめるために、ニールが当時住んでいた倉庫に、ダグとエイドリアンを呼んでとお願いした。

ニールの倉庫の部屋に座って、3年前に会ったときの話をした。私はその間に2つのバンドをやり、4回引っ越しをし、舞台係、ドラマー、レコード・レーベル運営者という3人のパンクシーンの人と付き合ったからか、3年どころかもう10年が過ぎたような感覚だった。エイドリアンも、そのはるか昔にシティカレッジで会ったときとは別人のようだったが、私はエイドリアンのことがすぐに好きになった。3年前に私とスージーが自己紹介をして、エイドリアンはただ握手をしただけで一言も話さなかった話をすると、彼女は快活に笑った。彼女が自分のことを話し始めて、私は驚いた。

「あのころはとても不安定だった」彼女は笑って首を横に振った。「あのときの私は別人だった。体重がとても増えてしまって、自分はダメだなと思ってて」

自分自身についてこんなに正直に話す人に、それまで会ったことがなかった。清々（すがすが）しささえ感じた。それからエイドリアンは、"Too Far"という彼女が作っているフェミニスト・パンク・ジンについて教えてくれた。私のバンドに入ってもらうように、なんとか説得しないといけない。ためらっているエイドリアンにポーラを紹介して、一緒にバンドを始めようと誘った。エイドリアンはそのとき、誰かのガールフレンドとして認識されるのではなく、自分自身の名前とアイデンティティを持つために、何か大きな変化を探し求めていたようだった。ポーラはカリンのことをBlacklist Mailorderの関係で知っており、カリンがCringerのハリーとランスにギターのバレーコードを教えてもらったということも聞いていた。しばらくして、イースト・オークランドにある友人のバンドの練習スペースを貸してもらい、私たちの相性を試してみた。これまでバンドをやったり曲を書いた経験があるのは私だけだったので、何か一緒に演奏できるものを準備した。私が作ったのはコード3つのシンプルな曲で、とある晩のパーティーで、ツアーで来ていたバンドの男ふたりがセクハラしてきたことについて歌ったものだった。

借りた練習スペースは、汗、ビール、たばこの臭いが充満していたが、興奮と、互いに共鳴する感覚があふれているようだった。エイドリアンはその素晴らしい包容力でみんなを魅了し、カリンはザラッとしたギターの歪みと元気な笑顔で私たちをうならせ、ポーラは気前のよさでバンドの基礎をつくり、私はそこに自分の経験とノウハウを加えた。私たちはパンクシーンでそれぞれが行っている活動のことをすでに知っていて、お互いをリスペクトしていたが、それが今、ひとつの部屋にいて、この4人でシーンの一部になるための可能性を探っていた。私が書いた曲の骨格に、カリンのギターの音、エイドリアンの激しい声、そしてポーラの安定したビートが合わさって一体になり、独自の音を形作った。その練習の終わりには、もう疑問は何もなかった。私たちはひとつのバンドになったのだった。

2回目の練習が終わるころには、私たちはもっとちゃんとした練習スペースを確保し、定期的な練習の日時を決め、バンドの最初の曲、「Seriously」を完成させた。その曲は元々私がアコースティックギターで書いたもので、バックアップのヴォーカルも私が担当したが、原曲はほとんどわからないような仕上がりになった。その曲は頑強で、私たちのありのままで、そしてアティテュードがあった。まったく新しい何か、私が聞くのを、発見するのをずっと待っていたような、女性のパンクバンドの曲で、それは私が今、カリン、ポーラ、エイドリアンと始めたバンドであり、女性の身体を中心としてできた創造の神話——家父長制とも、男性である神が、ひとりの男性の身体から女性たちを造った、すなわち原初には男性が存在したと述べるユダヤ＝キリスト教の信仰とも、まったく無関係の物語にちなんで名付けられたバンドだった。

Spitboy とローディーのフィリス（Tourettes）。
1994 年のアメリカツアー、ネヴァダ州リノにて

謝辞

私がこの『スピットボーイのルール』の最初の部分を書いたとき、まさか本1冊を書くことになったり、みんながそれを読んでくれるなんて、とてもすてきな人たち――私が気づく前にそこに素晴らしさや歴史的な重要性を見出してくれた人たち――が励(はげ)ましてくれるまでは考えてもいなかった。カリン・スパーン、トーマス・モニツ、ハイディ・アヴェリナ・スミス、そして私の運命の人、イネス・ペラルタへ、ありがとう。

そして初期の原稿を読んで、一緒に手直しをしてくれたウェイウォードのすべてのライターにも感謝を。私が初めて参加したこのライティング・コミュニティは、母たち、その子供たち、夫たち、妻たち、それに犬もいて、私の他にも有色の女性、ラティーナがいたグループだ。これまでに出会った中でも最高にかっこいい女性たちにも感謝を：アリエル・ゴア、マーガレット・ガルシア、ジェニー・フォレスター、リズベス・コイマン、レベッカ・ダン-クラン、ジェニー・ヘイズ、リンダ・カヨット、そして女性じゃないけど、同じように付き合ってくれているロッキー・ハットレイ。

またこの本の重要な部分を担(にな)ってくれ、私やSpitboy の証人となり、この記憶を残してくれたミミ・ティ・グエンとマーティン・ソロンデガイにも感謝の意を伝えたい。この本に写真を提供してくれた、Spitboy の写真家たちにも。デジカメやインターネットの普及の前の時代に、素晴らしい写真をたくさん撮ってバンドを記録してくれてありがとう。リン・レンティル、クリス・ボーツ・ラーソン、デイヴィッド・サイン、エース・モーガン、ジョン・ライオンズ、そしてバンドと一緒にツアーして、機材の運搬や物販を手伝ってくれたり、すてきな写真を撮ってくれた(表紙の写真もそう)キャロライン・コリンズにも。

この本を書き始めてからさまざまな方法で支えてくれたたくさんの人たち:ショウナ・ケニー、ジェス・スコルニク、ウェンディ・O・マティック、マット・ウォベンスミス、アン・イミッグと"Listen To Your Mother"。ラス・ポジータス・カレッジの仲間たち、特に英語学科のローク・ホークスとラファエル・ヴァイエ。「プエンテ・プロジェクト」のグレイス・エブロンとアン・ロメロ。そしてキルステン・サクストン、アジュアン・マンス、ジジ・パンディアン、ブリージー・バルセロ、ケンドラ・リヴィン、パット・リビー、ナオキ・アンドウ、ジェシー・タウンリー、マシュー・トンプソン、ジェシー・マイケルズ、ニッキー・ゴメス、コルベット・レッドフォード、タン・グエン、ナンシー・デイヴィス・コ、オーウェン・ピアリ、マーティン・サラザー、ジェン・マール、アリス・バグにも感謝を。

そしてメルヴィン・ジェナーにも。私の母、シェリル・ゴンザレス。私の生物学上の父と別れたその勇気に、そして何が起きようとも自分で立ち上がることを教えてくれたことに。

もし私にエージェントがいたらその人にも感謝するが、私には最高の存在、PM Press がいる。よりよく、より充実し、よりありのままのものが書けるように優しく手引きしてくれたロミーとラムゼイに。すてきな〔原著の〕表紙をデザインしてくれたジョン・イェイツに。またスティーヴン・ストットハード、ステファニー・パスヴァンキアス、ジョナサン・ロウランド、グレゴリー・ニッパー。

そして最後に、エイドリアン・ストーン、ポーラ・ヒブス－ラインズ、カリン・ゲムバス、ドミニク・デイヴィソンへ、ありがとう。私たちが共に過ごした時間を、4人への誠実さと親愛をこめて、ここに記録できているといいけど。

日本語版あとがき

Spitboyで日本をツアーしてから26年が経つ。満員の〈ハックフィン〉で汗まみれになり、権力に疑問を持ちパンクをやっていた若い人たちと出会った日本を、私はもう一度訪れようといつも思っている。名古屋の駐車場で、カリン、エイドリアン、私の3人が機材や荷物と一緒に写っている写真がある。私はスネアドラムのケースに座っている。真夏の東京の路地を、おさげにした髪、デニムのショートパンツとタンクトップという姿で歩いたこと、24時間やっているコンビニエンスストアで買ったおにぎりを食べたこと、オフの日には新幹線に乗ったことや、あと「スミマセン、ゴメンナサイ」といった言葉を忘れることはないだろう。ツアーの企画者の安藤直紀に案内されて、日本の文化や風習にも触れた。光が透き通る障子に囲まれた茶室の畳に座ってお茶を飲んだり、疲れた体を温泉で癒やしたり、雄大な富士山を遠くから眺めたりもした。

でも日本はSpitboyがツアーしたただひとつの非西洋の国であり、日本は私たちを試した。日本に行くこと——東京のネオンや、その土地土地の人々と会うこと、食べ物など——に、私たち全員がとてもワクワクしていた。遠く離れた日本に招かれるということは、日本の女性、男性、ジェンダー・ノンコンフォーミングの人たちに、アメリカのバンドであるSpitboyの音楽やメッセージが、海を越えて届いたんだということを意味していた。ただしSpitboyのメンバーの中には、白人の国ではない国で白人が〝他者〟となることや、自らの〝白人性〟が試されることを予期していなかった人たちもいた。この本の第10章、「人種、階級、スピッﾄボーイ」に書いたように、彼女たちはイーストLAにある私の祖母の家を訪れたときにも似た反応をした。彼女たちは口を閉じて体を縮こまらせ、そこにいるようで、でも本当はいないような感覚で、そしてそれは私が慣れきってしまっていた感覚であり、また日本での体験が、それを捨てるのを助けてくれた感覚だった。

アメリカ合衆国は決して単一民族国家などではない。しかしたとえネイティブ・アメリカンの肌が浅黒くても、またかつてアフリカから奴隷を輸入していても、そしてメキシコと陸続きでも、アメリカ合衆国は、白人がデフォルトの国だ。私のデフォルトは、〝白人性〟を通して自分自身を見ること、そして評価されること、定義されることだった。

ただ日本では、私は何か別のものを感じた。黒い髪、茶色い目、さまざまな茶色の肌をした人たちがいる国に行ったのは、日本が初めてだった。ニュージーランド、オーストラリア、日本をまわったパシフィック・リム・ツアー以前に、私はヨーロッパ以外の国に行ったことがなかった。メキシコすら行ったことがなかった。でも〝アメリカ人っぽさ〟というものに愛着はなく、日本の非白人的な慣習や伝統は、私の〝白人性〟を試すことはなかった。なぜなら、私のアイデンティティは〝何とか系〟アメリカ人だったし、私はそのときも、そして常に、白人ではなかったから。私はSpitboyのメンバーだったが、他のメンバーとは違い、アングロ・アメリカ人的な感覚を持っていなかった。だから行く先々での自分のもてなされ方に期待をすることもなかった。それどころか、私のエスニシティや人種についての聞かれたくもない質問や、エキゾチックだと言われることに対して、気を張っておく必要すらあった。

長く黒い髪、黒い目、小さくて筋肉質な体、そして褐色の肌で、私は日本にいることを心地よく思い、〝近い人間〟として接されていると感じた。不審を抱くこともなく、バンドの中で日本と最も深いつながりを持ったメンバーだった。お店の人たちは私に優しく接してくれ、ショウでは「見に来てくれてありがとう」と日本語で伝え、日本のバンドの人たちと遠慮せずに冗談を言い合ったりじゃれあったりしたし、An Apology Nature Ariseのドラマーとは、何度も何度もハグをした。私は日本で初めて、それまでに感じたことのなかった親和感というものを経験した。カラリズムが日本や世界中に存在することを知らないわけではないが、自分自身が子供と大人のはざまにあった当時、精神的な落ち着きを得ようとしていて、とても重要なタイミングでこの親しみの経験をすることができたと感じている。それは絶対に手放したくないような、絶対に失いたくないような、それをもとにして、また日々の生活を送ることができるような、特別な感覚だった。

２０２１年４月

ミシェル・〝トッド〟・クルーズ・ゴンザレス

女性である「私」のパンク――解説に代えて

ERIKO

読み進めるうちに、真っ白なカウンセリングルームの中にあるカウチに座らされ、背後から誰かに語りかけられているようなイメージが浮かび、ここに書かれたエピソードの節々に内在する問題は、読み手である自分自身にも問われているのだと気がついた。すべてが真っ白な空間の中、自分の特徴が、衣服から出た有色の肌が、丸みを帯びた肉体が、すべて浮き彫りになった状態で内省を迫られるような感覚だ。ここで語られる事実をまっすぐに受け入れることが私にはできるだろうか。見たくない現実を、相手の目の奥にある無邪気で冷淡な思考を、冷静に分析することができるだろうか。ミシェル・クルーズ・ゴンザレスは日常で、楽しいはずのパーティで、ベニューで、仲間の中で、常に外部と自己との照合を行っていたのだ。いや、そうせざるを得なかったのかもしれない。しかし、自分自身の鏡を覗く時、大半の人は鏡の前から逃げ出してしまう。パンクシーンの中にも社会的構造があり、ステージを降りれば、女性、トランス、クィア、有色人種などのマイノリティは、(W・E・B・デュボイスの言葉を少し借りるなら)「アイデンティティを包み隠し、洞穴の中で出来事が通りすぎるのを待っている」のだ。ほとんどの人は表情筋を引き上げ、されるがままに挨拶のハグをされ、その場をやり過ごす方を選ぶだろう。この勇敢な本の一番後ろのページに、私はなんて重大なマイクを渡されてしまったのか。それに答えるには、まずは自己を開示しなければならないだろう。

私がSpitboyを知ったのは、1995年の解散からだいぶ後（当時はJポップに毒された小学生だった……）のことで、Los CrudosとスプリットLPを出したバンドとしてだった。初めて聴いた時、そのメッセージと楽曲に気持ちが沸騰したのは言うまでもないが、児童期からカテゴリーや集団の中に入ることに対する拒絶反応に悩まされ、自らのバンド活動の中で違和感や居心地の悪さを抱えながらも、ライオット・ガールやフェミニズムの中にも混ざりきれなかった私には、Spitboyのスタイルがとてもしっくりきた。

高校2年の頃、他校の女の子と3人で初めてのバンドを組んだ。メンバーの知り合いで格安で楽器を教えてくれる人がいると聞き、安く手に入れたベースを背負い、街の外れまで汗をかきながら自転車を漕いだ日々を思い出す。ベースの先端はもらったギター用のケースからはみ出し、自分たちのバンドが始まるという興奮と期待に胸が高鳴っていた。楽器を教えてくれたのは、50歳くらいのメタル好きの男性だった。しかし、たしか通い始めて3回目の日、その男性は「女の子は容姿が良くなければ注目されないから、技術を磨くしかない」と力説しはじめ、私が覚えたかったピストルズの曲は、日本のパーソンズの曲へと替えられてしまったのだった。

なんでライブには女性が少ないかって？　私のバンド人生の出だしに起きたエピソードがこれだ。ピストルズやクラッシュになるはずだった私は、女性としてのステレオタイプを初っ端から突き付けられ、すっかりテンションが落ちてしまった。もし、自分のライブ活動の領域に女性が少ないのが、いつのまにか女性がシーンから姿を消すのが、女性の性質によるものだと思っている人がいたら、それは間違いだ。きっと多くの女性はあなたの想像力に幻滅して、興味すら持てなくなっているのだ。

その後もこの呪いの足枷はさらに破壊力を持ち、度々現れることになる。見えていた世界が少しずつ角度を変え始めていた。自分を解放してくれるはずの音楽でさえも、その大半は男性優位の社会の中に存在することに幻滅し、どこに行ってもバンド活動がくだらないものに思えてくる。どのバンドも男性ばかり。ライブをしても、他の出演バンドや客は、私たちのバンドのプロデューサーにでもなった気でいるようだった。いくら人がいる前でライブをしても、真っ暗な虚無の渦に向かって演奏しているようだった。高校を卒業する頃には私のバンド活動への熱はすっかり冷めきっていた。高校時代にクィアの友だちが、男性の仲間入りをして溶け込んでいるのを羨ましく思った私は、その後進学した専門学校で、頭を坊主にして男子トイレに入った。同じく男性の中に溶け込むことに成功した私は一時、その反動で「女らしさ」というものを憎んでいた（とても恥ずかしい暗黒期だ）。その頃の私は、ありのままの自分を受け入れられず、ナメられないようにいつも気を張り、そのせいで何もかも楽しめなくなっていた。後にSpitboyをはじめ、心を揺さぶられる数々の女性たちのパンクバンドに出会うまでは……。同じ女性としての心の葛藤の中にも、人によって、一つの型では収まりきらない、さまざまな経緯やかたちがある。Spitboyはその葛藤やかたちを知り、それらと向き合っている姿が、何よりも自分にとって魅力的だった。

ミシェルは女性としての生きづらさの他にも、自らの民族アイデンティティの葛藤を抱えていた。私は日本人という有色人種であるが、そのアイデンティティを捨て去るかのように、中途半端な英語を無理やり歌う。それは日本の中にいれば多数側であることに、嫌気がさしているからなのかもしれないし、息苦しいこの場所から出ていきたい気持ちの表れなのかもしれない。自分にとって日本語は、意思疎通をとるためだけの道具である。しかし、アメリカという白人至上主義がはびこる土地に住んだことがない私は、ミシェルが抱えていた葛藤を、これらの問題を、おそらくよく理解していない。かつてワシントンDCでRashomonというバンドをやっていたコウヘイ君が、「自分は、アメリカに移住したアジア人といっても、自分で選んで移住できる特権があった。だからたとえばアメリカが勃発させた戦争によって、自分たちの故郷から遠く離れて移民とならざるを得ず、自分たちのアイデンティティを保とうとしている人々と、一括りにすることはできない。そして、日本も朝鮮を植民地にして、日本語を強制的に話させたりした過去もあり、日本語にも支配的な要素があると思っている」と話してくれた。私は言語や自分が持つ特権について、それまで考えたことがなかった。私にも自分で気づかない特権があるなんてことを。人は皆、自分の生まれを選択できない。仕組まれた構造の中で生き、大半はその構造に気づかずに死んでいく。知らずに誰かを抑圧しているかもしれない。

この本の第20章で、Spitboyがツアーで日本に来た時に、ミシェルと会うなり泣き崩れてしまったAn Apology Nature Ariseのドラムの女性の話が出てくるが、私には彼女の気持ちがわかる気がする。これは、ロマンティックな気分によるものではなく、置かれている環境によるものだと思う。日本人は自分自身の権利を知らない、または知るのがとても遅い。学校はルールを守らせることばかり重視し、人が持つはずの権利についてはまともに教えてくれないし、自分の頭で考える機会なんてほとんど与えてくれない。戦前から本質の変わらぬ日本の教育は、人々を統制しやすいように作られている。私も勉強ができなかったから、自分の本当の権利についてなんて、パンクに出会わなければ分からなかったし、考えもしなかっただろう。個人の主体性を、本当の歩き方を教えてくれたミシェルが彼女の目の前に現れたことは、SNSのない当時なら尚更、泣き崩れるくらいの衝撃だったのだろうと思う。

日本では実名を出して何かに真正面から抗議するようなことはとても珍しいし、過大なリスクを伴う。何よりも致命的なのが、連帯者が現れにくいことや、運動が発展しにくいことだ。影響力のない弱者は水面下で排除される。人々は変わらなすぎる環境に無気力になる。日本特有の村社会の性質は、大人になる過程で、社会の中で、脳内に刷り込まれていく。強大な集団規範や、既存のものを公正とする概念はとても根深く、また権威に弱く、環境に依存し、属性を重んじる。自分がこれだけやったのに、あいつはこれしかやっていないという話にすぐになる。物事がうまくいったのは、家族や所属する組織のおかげだと思い込まされている。

こういった日本的な特徴は、残念ながら自分の中にも存在した。20代はじめの頃までの私は、バンド活動をしながら、仕事でもないのに、何かの構造の中に依存または所属していないとやっていけないような錯覚に陥(おちい)っていた。影響力のある人や集団の中心人物と、疑問を抱くことがあってもうまくやっていこうとしたり、確実に存在する権威を認知しながらも、それを見ないようにしていた。狭いこの国は蜘蛛の巣のようにすべて繋がっていて、どこか逃げ場がないような気にさせられる。

私はそれらの思い込みと決別する為に、今もバンドをやりながら、不屈の女性たちに憧れ続けている。もし、あなたが今いるシーンの居心地が悪かったら、抑圧された環境なら、すぐにその場から離れるといい。強くならなくてもいい。強い者しか残れない世界はごめんだ。そして、自分のシーンを、心から楽しいと思える仲間を、海や国境を越えて、自分の前に作れるということ。また、自分がいつかどこかで、誰かの権威となり得ることを忘れてはならないこと。以上が、日本で生まれて生きてきた私自身の自己開示と、本書『スピットボーイのルール』を読んで出した結論だ。

ERIKO

パンクバンドM.A.Z.E.のヴォーカル。現在は通信制大学で勉強をしながら、児童福祉施設で子どもたちを支援する仕事をしている。

訳者あとがき

本書は２０１６年にアメリカ・オークランドのアナキスト系出版社、PM Pressから刊行された"The Spitboy Rule: Tales of a Xicana in a Female Punk Band"の全訳だ。Gray Window Pressとしては、２０１９年5月に発売したＭＤＣ（Millions of Dead Cops）のヴォーカル、デイヴ・ディクターの自伝に続き、2冊目の翻訳書の出版となる。ＭＤＣとSpitboyはどちらもカリフォルニア・ベイエリアを中心に活動したバンドで（ＭＤＣは現在はポートランドが拠点だが）、いきなり些事になるが、この2バンドの関係といえば、ＭＤＣの１９９１年リリースのアルバム『Hey Cop!!! If I Had a Face Like Yours...』に入っている「Crime of Rape」という曲に、Spitboyのメンバーがコーラスで参加している。

原書を初めて読んだ時は、口語のようにさらっと語られる文体に引き込まれ、またほとんどが男性で構成されるハードコア・パンクのシーンで活動することで女性が経験せざるをえない出来事の描写にうなずくと同時に、かつて女性ドラマーに対して「出音でかいね！」などと無邪気に言ってしまったような、これまでの自分の言動を思い出して死にたくなりながら、また白人が多数を占めるアメリカのパンクシーンにおける、人種マイノリティの（自己）

認識をめぐる著者の葛藤にうならされながら、またこの本に書かれている時代から30年近く経った、今日の日本のパンクシーンの状況とも照らし合わせながら、数日で読んだ。しばらくしてこの本の日本語版を出版してはどうだろうかと思い立ち、PM Pressに連絡して版権を取り（話はとても気楽にスムースに進んだ）、2020年の秋には出版する予定だったのだが、それも1年ほど延びてしまった。これは単に私の怠惰と翻訳能力の不足によるもので、まあ自分で勝手にやっている出版であり、特に厳しい締め切りも存在しない、行き当たりばったりの〝事業〟だとしても、おまけに新型コロナ禍のせいでいろいろと低調だったとしても、ダラダラとやってしまったと反省している。そもそも当初は日本のとあるパンク女性に翻訳をお願いしようと思って準備していたのだが、その新型コロナ禍のあおりをくらって資金が用意できず、自分で訳すこととなった。私のような〝日本人男性〟が、チカーナのパンクスが書いたものを訳すということは、そもそもその関係性が根本的に間違っていやしないかという自問もあったが、「他では出版されないアンダーグラウンド・パンクの書籍を翻訳・出版する」という当レーベルの方針をあくまで優先し、私の無自覚な男性性により原書を痛めつけていないか注意を払いながら翻訳作業を行った。

内容についてひとつだけ補足すると、本文中 Spitboy のメンバーを指す“Spitwomen”（もしくは“Spitwoman”）は、バンド名の延長ということで、特に注もつけずそのまま使用した。ただ、「それで Spitboy ってどういう意味？」と疑問に思う方もいるかもしれない。確かに本書ではバンド名の由来について、第21章の最後の部分で示唆的にしか語られていない。Spitboy は直訳すれば「唾少年」だが、これは同部分で言及されている、ある「女性の身体を中心としてできた創造の神話」の中に、女性が吐いた唾から男の子が生まれた、という物語があるらしく、それを元にしてこのバンド名が付けられたとのことだ（Spitboy の最初の7インチEPにはもう少し詳しい説明が載っている）。

その他内容についてはERIKOさんの跋文にも書かれているのでここでは繰り返さない。ある意味ではアメリカ以上にマッチョだといえる日本のハードコア・パンク・シーンで広く読まれたらいいなと個人的には思うが、それ以上に、男性以外のバンドをやる人、音楽を作る人、ジンやアートを作る人、パンクに限らず音楽が好きな人などが読んでも、著者のその時々の思いや行動にうなずいたり、創造や行動の刺激を受けるのではないかと思う。

翻訳にあたっては、私のパートナーのA・K・アコスタには、ほぼ共訳といっていいくらいに全面的な協力をお願いした。また原書の誤植と思われる部分や、日本語版向けに多少の説明が必要な部分は、著者に確認の上数カ所修正・追記をしてある。日本語版の副題についても著者と相談し、本書のある章にちなんだタイトルに変更した。

そのほか事実確認のために〝当時〟を知る友人たちに話を聞いたり、数人の友人にも訳語の相談をさせてもらった。またカバーデザインをお願いした大田まさ子さん、MDC本に引き続き校正を引き受けていただいた渡邉潤子さんにもお礼を申し上げたい。

本書の終盤で語られるように、Spitboyは1995年に日本ツアーを行っている。日本語版の刊行に合わせて、来日当時、日本ではSpitboyはどのように受容されていたのかなどを確認するために、そのツアーの企画者であり、本書にも推薦コメントを寄せていただいた安藤直紀さんへのインタビューと、印象的なエピソードが語られる名古屋のショウで対バンしたバンド、An Apology Nature AriseとOut of Touchのメンバーに簡単なQ&Aを行い、「Debacle Path Paper」として24ページのジンにまとめた。当ウェブサイト等で販売しているので、副読ジンとして参照していただければ幸いだ。

鈴木智士／Gray Window Press

Photo Credits

P. 24: ニコル・ロペスと。1985年ごろ
P. 32: デトロイトの〈404 Willis〉にて（写真：エース・モーガン）
P. 39: Spitboyのグラフィティ
P. 44: 著者とアーロン・“コメットバス”・エリオット。1992年、ウィスコンシン州マディソン（写真：キャロライン・コリンズ）
P. 54: ジェフ・ヒルによる版画
P. 59: ケヴィン・アーミーとSpitboy。1992年ごろ、Olde West Studiosにて（写真：ジョン・ライオンズ）
P. 63: トロツキー（Citizen Fish）、スパイダー（Amebix）と。1993年、イングランド
P. 70: Spitboyの壁。1995年、ニュージーランド（写真：ロス・ガーディナー）
P. 78: 「セクシズム粉砕」、1995年、ニュージーランド（写真：ロス・ガーディナー）
P. 85: Chino Horde、その友人たちと。1992年、アーカンソー州リトルロック（写真：エイドリアン・ストーン）
P. 90: 著者と祖母デリア・バラッザ
P. 97: Spitboyとヨーロッパツアーのロードクルー。1993年、ベルギー
P. 126: イアン・マッケイ、マーク・アンダーセンとSpitboy。1994年、ヴァージニア州アーリントン
P. 132: ピート・ザ・ローディー（左）。1992年、イタリア、ローマの〈フォルテ・プレネスティーノ〉で
P. 139: 著者、〈924 ギルマン〉で。1992年ごろ（写真：ジョン・ライオンズ）
P. 147: ニュージャージー州ニューブランズウィック。1994年（写真：クリス・ボーツ・ラーソン）
P. 157: スピットボーイのパイ。アオテアロア、ニュージーランド（写真：リン・スペンサー、ロス・ガーディナー）
P. 169: オーストラリアにて、著者。1995年（写真：キャロライン・コリンズ）
P. 174: 日本に到着したSpitboy。1995年（写真：キャロライン・コリンズ）
P. 184: Los Crudosのホセとマーティン。1994年ごろ
P. 191: 日本の楽屋で、カリンと著者。1995年（写真：キャロライン・コリンズ）
P. 199: Spitboy。1992年、ミシガン州カラマズー

記名のない写真は著者のコレクションより使用

著者
ミシェル・クルーズ・ゴンザレス
Michelle Cruz Gonzales

1969年イーストＬＡ生まれ。カリフォルニアのゴールドラッシュの小さな町、トゥオルミで育つ。最初のバンドは15歳のときに始め、2年後にサンフランシスコへ引っ越す。1980年代から90年代の間に、Bitch Fight、Spitboy、Instant Girlの3つのバンドでドラムを叩き、歌詞も書く。2003年にミルズ・カレッジで学士を取得（英語、クリエイティヴ・ライティング）。また同大学でエスニック・スタディーズを副専攻。2017年にゴンザレスとSpitboyはドキュメンタリー映画“Turn it Around: Story of East Bay Punk”に出演。2021年にSpitboy初の音源集がDon Giovanni Recordsからリリースされる。『スピットボーイのルール』出版後は、小説の執筆や、アンソロジー、文芸誌、ウェブマガジンなどに寄稿を続けながら、英語とクリエイティヴ・ライティングを教えている。カリフォルニア在住。

https://punk-writer-michelle-cruz-gonzales.com/
@xicanabrava

訳者
鈴木 智士

1981年生まれ。翻訳業、ライター。出版レーベルGray Window Press運営。同レーベル発行の雑誌「Debacle Path」編集人。

スピットボーイのルール　人種(じんしゅ)・階級(かいきゅう)・女性(じょせい)のパンク

2021年7月23日　初版第一刷発行

著者：ミシェル・クルーズ・ゴンザレス
翻訳・DTP：鈴木 智士
校正：渡邉 潤子
カバーデザイン：大田まさ子
発行：Gray Window Press
大阪府大阪市中央区内淡路町 1-3-11-402

印刷・製本：山猫印刷所
ISBN978-4-9910725-4-3　C0073

Gray Window Press
https://graywindowpress.com/
mail@graywindowpress.com